KB076761

心
마음을
사로잡는
인문학 강의

人文學

한국지식문화원 인문학 명강사 12인
마음을 사로잡는 인문학 강의

발 행 일 2024년 9월 3일
지 은 이 강경아 권경민 김미혜 김영희 김준희 김현정
김형숙 서연하 안현숙 우경림 이재호 정태희
편 집 이영미
디 자 인 김영희
발 행 인 권경민
발 행 처 한국지식문화원

출판등록 제 2021-000105호 (2021년 05월 25일)
주 소 서울시 서초구 서운로13 중앙로얄빌딩 B126
대표전화 0507-1467-7884
홈페이지 www.kcbooks.org
이 메 일 admin@kcbooks.org
ISBN 97911-7190-062-6

한국지식문화원 인문학 명강사 12인

心 마음을 사로잡는 인문학 강의

人文學

| 발간사 |

다양한 강의 현장을 누비는 스타 인문학 강사들의 인문학 강의 이야기 「마음을 사로잡는 인문학 강의 - 한국지식문화원 인문학 명강사 12인」이 출간되었습니다. 예전의 대학 교양 수업 강의실에서 듣던 고전적인 인문학이 아닙니다. 시대의 변화와 교육 패러다임의 변화에 맞게 진화한 실전 강의 현장에서 사랑받는 톡톡 튀고 흥미로운 인문학 강의 이야기를 소개합니다.

기업체, 공공기관, 대학교 인문 소양 강의에서조차 수강생들의 니즈를 반영한 다양한 소재로 인문학적 접근을 시도하고 있습니다. 인문학적 지식을 풍부하게 하는 것을 넘어, 발상의 전환, 조직의 소통, 융합을 꾀하는 다양한 앵글에서 인문 강의에 접근합니다.

12인의 명강사들의 오랜 강의 노하우가 녹아 있는 개성 넘치는 인문학 강의 이야기가 다양한 기관 교육 담당자들에게 인사이트를 줍니다. 한정된 시간의 교육으로 조직원의 변화를 끌어낼 강의 소재와 강사를 섭외하는 것은 교육 담당자의 중요한 역할입니다.

다양한 단체의 교육 섭외 담당자분들께 강사들의 다양성과 역량을 소개하며, 단순히 지식을 전달하는 것을 넘어, 우리에게 영감을 주고 새로운 관점을 제시할 것입니다.

이 책을 통해 여러분은 다양한 분야의 강사들 이야기를 만나볼 수 있을 것입니다. 우리는 그들의 이야기를 통해 조직원 개인과 조직의 성장과 발전에 도움을 얻을 수 있을 것입니다.

감사합니다.

권경민

발행인

한국지식문화원 대표

CONTENTS

카이로스 컬러 & 향기인문학 — 강경아

국무총리실에서 맥주 강의를? — 권경민

청춘의 비결 뇌인지인문학 — 김미혜

좋아하는 일만 하며 살 수 있다고? — 김영희

나는 왜 그동안 인문학을 모른 체했을까! — 김준희

人文學

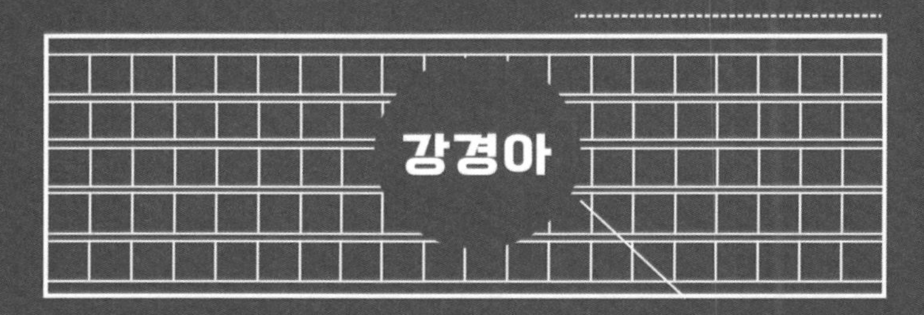

coo@kcbooks.org

카이로스 컬러&향기인문학 강사
한국지식문화원 부회장
SHS 아로마테라피스트
아로마인사이트카드 프랙티셔너
한국저널리스트대학교육원 정신
건강학 교수
CPAC (Color Personality
Analysis Counselor)
CPI (Color & Perfume
Instructor)

001

카이로스 컬러 & 향기인문학

신이 향기를 창조했다면, 인간은 향수를 만들었다.
향수는 향기에 인간을 녹여낸 결과물이다. -장 지오노 Jean Giono-

태초의 향기는 무엇이었을까?

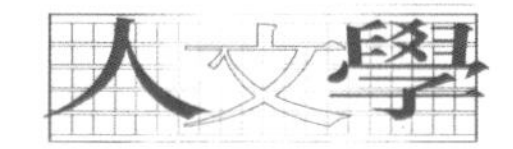

인류가 최초로 사용한 화장품이라고 할 수 있는 향수는 향료를 알코올 등에 녹여 만든 향기 나는 액체를 일컫는다. 영어로는 퍼퓸(Perfume)인데, 이 단어는 '~을 통하여'라는 의미가 있는 라틴어 '퍼(per)'와 '연기(Smoke)'를 뜻하는 '푸무스(Fumus)'에서 유래되었다.

향수의 역사는 매우 오랜 세월 동안 다양한 문화와 문명의 영향을 받으며 발전해 왔다. 향수의 기원은 이집트와 메소포타미아 문명에 그 뿌리를 두고 있다. 종교적 의식, 곧 신과 인간과의 교감을 위한 매개체로부터 출발하였다. 약 5,000년 전의 고대인들은 신에게 제사를 지낼 때 몸을 청결히 하고, 향기가 풍기는 나뭇가지를 태우고, 향나무잎으로 즙을 내어 몸에 발랐다고 한다.

‘향기가 나는 성스러운 나무’라고 하여 향나무를 경외하였던 고대인들은 높은 산 위에 높이 자란 향나무가 신에게 더 가깝게 해준다고 믿었으며 신에게 제사를 지낼 때 이 향을 몸에 바르거나 태우는 종교적 의식을 통해 신과 소통할 수 있다고 생각했다. 향수의 원래 기능은 향의 형태로 오늘날의 교회 의식에 남아있다.

이렇듯 신과 인간의 교감을 위한 매개체로 사용한 데서부터 향수는 시작되었고, 향수는 단순히 향기를 내는 것 이상으로 다양한 문화적, 종교적 의미를 담고 있었다.

고대 이집트인들은 특히 향을 좋아하여 광범위하게 사용했다. 그들은 향기가 신의 선물이라고 믿었고 향료와 식물성 오일을 이용하여 향수를 만들었다. 이를 종교의식과 장례 의식에 사용했다. 그들은 로즈, 장미, 라벤더, 카먼 등 다양한 식물을 사용하여 향수를 만들었다. 또한, 그들은 향수를 신체에 바르거나 방안에 사용하여 신성한 향기를 퍼뜨렸다.

고대 이집트 사회에서 향수는 매우 중요했으며 당시의 상인들은 부피가 작고 값이 비싼 향료를 화폐 대용으로 사용하기도 했다. 가장 널리 알려진 이집트 향수 키피(Kyphi)는 주로 신을 기리기 위한 용도로 사용되었다. 키피(Kyphi)는 이집트 피라미드 벽에 제조법이 기록되어 있으며, 주로 너트그래스, 갈대, 주니퍼 베리, 테레빈 뿌리, 골풀, 꿀, 몰약, 건포도와 오래된 포도주로 만들었다.

현재 조금씩 다른 처방전이 전해지고 있으며, 이집트인에게 키피는 매우 중요하고 신성한 향료로서 다른 향수들처럼 간과 폐에 발생한 질병을 치료하기 위한 약으로도 사용하였다. 그리스의 역사가 플루타르코스는 키피를 두고 “근심을 덜어주고 영혼을 치유하는 힘을 가지고 있다”라고 말했다. 이집트인들은 정교한 향수병과 용기를 만들었고 그중 많은 부분이 오늘날까지 남아있다.

그 후 향수는 이집트 문명을 거쳐 그리스와 로마 등지로 퍼져 귀족계급의 기호품이 되었다. 비누가 없던 시절 때를 녹이는 향유가 목욕의 필수품이었는데 사람들은 향유를 몸에 바르고 금속 재질의 때밀이 스트리질을 사용해 강하게 문지른 다음 물로 씻었다. 그리스인과 로마인들은 향수에 대해 깊은 인식을 하고 있었고 그들만의 독특한 향수 제조 기술을 개발했다. 고고학자들은 키프로스 피르고스 지방에서 세계에서 가장 오래된 향수를 발견한 바 있는데 이는 4,000년 전의 것으로 추정된다.

중세 유럽에서는 아라비아 문화의 영향을 받아 향수 제조 기술이 발전했다. 또한, 향수는 귀족과 성직자들 사이에서 널리 사용되었고, 약용 목적으로도 활용되었다. 이 시대에는 왕과 황제들의 대관식 때 머리에 향유를 붓는 ‘기름 부음(anointment)’ 의식을 행했는데 이 의식은 하느님으로부터 권위를 부여받는다는 상징적인 의미를 지녔다. 중세 시대 수도원에서는 향이 나는 식물을 재배하고 의료용 향수를 만들었다.

근대적 의미의 향수가 나온 시기는 1370년 경으로 지금의 '오 드 트왈렛' 풍의 '헝가리 워터'다. 이것은 질병으로 인해 고통받던 헝가리 여왕인 엘리자베스를 위해 만들어진 것으로 증류 향수이며 최초의 알코올 향수이다. 주재료는 로즈마리와 라벤더, 민트를 비롯하여 신선한 꽃잎과 과일 향기를 함유한 알코올이다. 이 향수로 인하여 아름다움과 건강을 되찾은 여왕은 70세가 넘은 나이에도 불구하고 25세의 폴란드의 왕으로부터 구혼을 받았던 것으로 전해진다.

그 뒤 1508년 이탈리아의 피렌체의 수도사가 향료 조제용 아틀리에를 열고 '유리향수'를 제조하면서 향수의 전성기를 맞게 되었다. 16세기 르네상스 시대에는 향수 제조에 화학 기술이 도입되면서 향수의 종류와 품질이 크게 향상되었다. 17세기부터 향수가 산업으로서 발전하기 시작했으며 프랑스 조향사가 그 길을 주도했다. 18세기 프랑스에서는 향수 산업이 발전했고, 나폴레옹과 마리 앙투아네트 등 왕족과 귀족들이 향수를 애용했다.

19세기에는 합성 향료의 개발로 향수 제조가 더욱 발전했고, 향수가 대중화되기 시작했다. 향수를 전문적으로 취급하는 회사가 설립된 것은 유럽에서였다. 당시에는 자연의 향을 활용한 제품들이 주를 이뤘고, 19세기 후반 화학합성 향료가 개발되면서 이전까지는 비싼 가격이었던 천연향료의 향기를 비교적 저렴하게 구현할 수 있게 되었고 단가가 낮아지면서 향료와 향수의 대중화가 이루어지기 시작했다. 향수 대중화의 선구자로 볼 수 있는 자크 겔랑을 시작으로 향수가 패션 산업에 도입되면서 샤넬, 디올, 지방시 등 자신의 패션 브랜드와 같은 이름을 걸고 향수를 출시하여 큰 성공을 거두게 된다. 대표적인 향수가 바로 '샤넬 No. 5'이다.

우리나라 향수의 역사는 삼국시대로 거슬러 올라간다. 372년 고구려 승려가, 382년 백제 승려가 중국 파견 길에서 돌아오며 향료를 수입한 것이 그 시작이었다. 향료의 대중화는 신라시대 귀부인들로부터이며, 향료 주머니 즉, 향낭(香囊)을 몸에 지녔다는 것으로 그 사실을 알 수 있다. 삼국유사의 기록에서도 향을 통하여 사람을 치유하거나 몸을 치장한 사례가 많이 등장한다. 또한 석굴암 안쪽 중근 벽 둘레에 새겨진 지혜제일 사리불과 신통제일 목련이 손잡이 향료를 들고 있으며, 혜공왕이 771년에 완성한 에밀레종에도 연꽃 송이 모양의 향로가 새겨져 있다. 출토되는 향유 병들로 향수를 담던 용기도 소지했음을 알 수 있다.

조선 성종 때에는 향 식물 재배관리를 감독하는 전향 별감이라는 벼슬을 따로 두기도 했다. 관리들과 선비들에게 의무적으로 향낭을 패용하도록 하는 등 우리나라에서도 향을 지니는 행위는 일상화 되었다. 그 후 조선 후기 일본을 통해 알코올 향수가 우리나라에 소개되었지만, 신여성과 기생 등 특수 계층만 사용했기 때문에 일반적으로 좋지 못한 인식을 가지게 되었고, 한국전쟁까지 겪으며 향수는 사치품으로 인식되었다.

오늘날 향수 산업은 전 세계적으로 큰 규모를 자랑하며, 다양한 향기와 제품이 개발되고 있다. 향수는 개인의 취향과 이미지를 표현하는 중요한 소비재로 자리 잡았다. 향수는 사람들에게 자신의 아름다움과 독특한 매력을 부각시키는데 중요한 역할을 하며, 그 향기는 사람들에게 자신감을 줄 뿐만 아니라 주변 사람들에게도 긍정적인 영향을 끼친다.

현재 향수는 개인의 개성과 기분을 반영하는 향을 선택하는 개인의 표현 수단이 되어 널리 사용되고 있으며, 향기가 인간의 정신에 미치는 영향을 연구하는 학문으로 발전하여 향기의 효과를 과학적으로 실증하는 아로마콜로지(Aromachology) 즉 향기 심리학으로 발전하고 있다.

AN DIOR & SAKS

향수와 감정, 향기가 우리의 감정을 움직인다

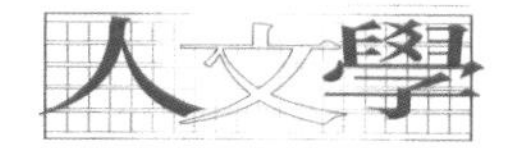

향수는 단순히 향기를 넘어, 우리의 감정과 기억을 자극하는 강력한 도구이다. 향기는 우리의 감각 중 가장 직접적이고 강력한 영향력을 발휘한다. 다른 감각들과 달리 후각은 대뇌변연계와 직접 연결되어 있어, 향기를 맡는 순간 즉각적으로 감정적 반응이 일어나게 된다. 변연계는 감정과 기억을 담당하는 뇌의 영역으로, 향기가 뇌에 전달되면 즉각적으로 감정적 반응을 일으킬 수 있다. 예를 들어, 어린 시절의 특정 향기가 기억을 떠올리게 하며, 그때의 감정과 경험이 함께 떠오르는 경우가 많다.

이는 우리가 특정 향기에 민감하게 반응하고, 그 향기가 우리의 내적 감정을 조절하는 데 영향을 미치는 이유이기도 하다. 향기가 우리의 감정에 미치는 영향은 실로 다양하다. 라벤더 향은 편안함과 안정감을 주며, 시트러스 계열의 향은 활력과 에너지를 불러일으킨다. 따뜻하고 달콤한 바닐라 향기는 편안함과 안락함을 선사하며 숲속 향기는 자연스럽게 평화로운 감정을 불러일으키고, 스파이시한 향기는 때로 흥분과 열정을 자아내기도 한다. 반면, 머스크나 우디 계열의 향은 깊이 있는 감정과 성숙함을 느끼게 한다.

이러한 향기들은 단순히 냄새가 아니라, 우리의 기분을 변화시키고 감정과 기억을 자극하면서 특정한 감정을 불러일으키거나 강화시킨다.

향기는 우리의 기분과 감정을 적절하게 조절하는 강력한 도구로 작용한다. 이는 향수 선택 시에도 중요한 고려 사항이 된다. 데이트나 나들이에는 달콤하고 섬세한 향수를, 힘든 업무 후에는 편안한 향기의 향수를 선택함으로써 자신의 감정 상태를 능동적으로 관리할 수 있다.

특히 향수는 우리가 특정 상황에서 경험하는 감정을 강조하거나 완화시키는 데 도움을 줄 수 있어, 일상에서 우리의 모습과 상황에 따라 다양한 향수를 선택하는 것이 중요하다.

향수는 개인의 감정을 외부에 표현하는 수단으로도 작용한다. 어떤 향수를 선택하느냐에 따라, 사람들은 자신이 원하는 이미지를 구축할 수 있다.

예를 들어, 자신감과 매력을 강조하고 싶다면 강렬한 플로럴 향수를 선택할 수 있으며, 편안하고 친근한 이미지를 원한다면 부드러운 우디 향수를 선택할 수 있다. 이처럼 향수는 우리의 감정을 외부에 드러내는 중요한 요소로 작용한다.

향기의 이러한 힘은 단순히 개인적인 차원을 넘어 사회적인 영역에서도 활용되고 있다. 호텔이나 백화점 등 상업 공간에서는 특정 향기를 연출함으로써 고객의 구매 욕구를 자극하고, 편안한 분위기를 조성하는 데 활용한다. 또한 병원이나 요양원에서는 치유와 안정을 위한 향기 요법을 활용하기도 한다. 이러한 상황에서 특정 향기가 특정 감정을 유발하는 데 사용되는 것은 중요한 요소로 작용하며, 이는 우리가 어떤 환경에서 향기를 맡을 때 우리의 감정을 어떻게 조절하는지에 대한 통찰을 제공한다.

향기와 감정의 관계는 단순히 지나가는 현상이 아니라, 우리의 삶 속 깊숙이 자리 잡고 있다. 향기는 우리의 기분과 감정을 즉각적으로 움직이며, 우리가 어떤 향기에 노출되느냐에 따라 우리의 내면이 변화하고 향기에 대한 이해와 활용은 우리 자신의 감정을 이해하고 관리하는 데 도움을 줄 수 있을 것이다. 향기와 감정의 관계를 깊이 있게 탐구하고, 이를 일상생활에서 적극적으로 활용한다면 우리는 보다 풍요롭고 건강한 내면을 가질 수 있을 것이다.

향수는 단순한 향기를 넘어, 우리의 감정과 기억을 형성하는 중요한 역할을 한다. 향기는 과거의 경험을 상기시키고, 현재의 감정을 표현하는 도구로 사용되며, 이는 우리가 향수를 선택하는 데 있어 중요한 요소가 된다. 향수를 통해 우리는 자신을 표현하고, 소중한 기억을 되새길 수 있는 기회를 가지게 된다. 향수와 감정의 관계를 이해함으로써, 우리는 더 깊이 있는 향기 경험을 즐길 수 있을 것이다.

카이로스 향기인문학, 향기로 떠나는 시간여행

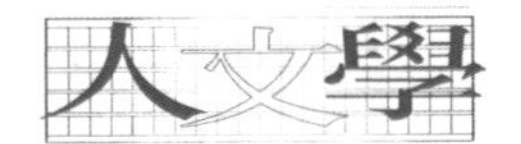

우리의 삶에서 향기는 중요한 역할을 한다. 향기는 우리의 기억과 감정을 깊이 있게 연결시키는 매개체 역할을 하기 때문이다. 특히 어린 시절의 향기는 우리에게 큰 영향을 미치곤 한다.

어린 시절, 우리는 순수하고 호기심 어린 눈으로 세상을 바라본다. 그때 맡았던 향기들은 우리의 기억 속에 깊이 각인되어 있다. 엄마의 품속에서 느꼈던 따뜻한 향기, 할머니 댁에서 맡았던 구수한 향기, 첫 등교 날 교실에 퍼졌던 새 책 냄새 등은 언제 어디서든 우리를 과거로 돌려보낸다.

이렇듯 향기는 시간을 거슬러 올라가 우리를 과거의 순간으로 이끈다. 그리고 그 순간의 감정과 기억을 되살려낸다. 향긋한 꽃향기를 맡으면 봄날의 정취가 떠오르고, 겨울바람에 실린 나무 향기를 맡으면 아련한 추억이 떠오르는 것이 그 예이다.

이처럼 향기는 시간과 공간을 초월하여 우리의 기억을 자극하고 감정을 불러일으킨다. 향기를 통해 우리는 과거로 시간여행을 떠날 수 있다. 그리고 그 여행을 통해 우리는 잊고 있던 소중한 기억들을 되살릴 수 있다.

향기가 지닌 이러한 특별한 힘은 우리 삶에 있어 매우 중요하다. 향기를 통해 우리는 과거의 소중한 순간들을 추억할 수 있고, 그 기억 속에서 위안과 행복을 얻을 수 있다. 향기는 우리를 과거로 이끌어 가 우리의 마음을 치유하고 위로해 줄 수 있는 것이다.

향기가 과거의 감정을 강하게 불러일으키는 이유는 다양하다. 먼저, 후각과 기억의 밀접한 연관성은 이러한 효과를 설명하는 데 중요하다. 후각 정보는 뇌의 변연계 중 해마와 편도체에 직접 연결된다. 이는 기억과 감정 처리에 중요한 영향을 미친다. 그 결과, 향기는 기억과 감정을 직접적으로 자극할 수 있는데, 이는 우리가 특정 향기를 맡았을 때 과거의 경험과 감정이 즉시 떠오를 수 있는 이유이다.

향기 정보는 기억과 감정 영역에 직접 연결되어 강렬한 회상을 불러일으키는데, 이는 특히나 특정한 향기가 특정한 순간이나 장소와 연결되어 있는 경우 더욱 강력한 효과를 발휘한다. 특정 향기는 그와 연관된 감정을 불러일으키며, 이는 우리의 개인적인 과거 경험과 연결되어 있다. 이러한 특성은 향기가 우리의 감정을 불러일으키고 우리의 기억과 연결하는 과정을 설명한다.

마지막으로, 향기의 무의식적 기억 작용은 향기가 무의식적으로 기억을 활성화하고, 의식적으로는 기억하지 못했던 감정들이 향기에 의해 자연스럽게 떠오르게 됨을 설명한다. 이러한 작용은 우리가 인식적으로 기억하지 못했던 감정들이 특정한 향기를 맡았을 때 자연스럽게 떠오르게 만들어 준다는 점에서 향기의 영향력을 보다 명확히 한다.

향기는 마치 시간여행을 할 수 있게 해주는 마법의 문과 같다. 특정한 향기를 맡게 되면, 그 향기는 우리의 뇌 속 깊은 곳에 숨겨져 있던 기억을 깨워내어 과거로 우리를 이끌고 우리는 마치 시간을 거슬러 올라가 과거의 순간들을 생생하게 경험하는 것 같은 느낌을 받게 된다.

향기가 불러일으키는 이 시간여행의 경험은 매우 강렬하고 감동적이다. 우리는 순간적으로 과거의 장면들이 눈앞에 펼쳐지는 듯한 착각에 휩싸이게 되고, 그때의 감정과 기분까지도 똑같이 느끼게 된다.

이런 상황에서 마치 시간이 멈춘 듯, 과거와 현재가 겹쳐지면서 우리는 과거의 자신과 대화하는 것처럼 느껴진다.

우리는 향기를 통해 과거의 자신을 만나고, 그때의 감정을 되새기며, 소중한 추억을 떠올릴 수 있다. 이는 마치 문을 열고 과거로 들어가는 듯한 신비로운 경험이며, 향기의 마법을 통해 우리는 시간의 제약을 초월하여 과거와 현재를 오갈 수 있게 되는 것이다. 이러한 경험은 우리에게 새로운 관점을 제시하고, 과거의 우리와 현재의 우리를 연결 짓는 소중한 고리가 될 것이다.

바쁘고 힘든 생활 속에서 향기는 우리에게 시간과 공간을 넘나드는 심리적인 여행을 선사하여 삶에 깊은 감동을 안겨줌으로써 치유를 일으킨다. 기억 속의 향기나 추억의 공간을 향기로 되살리는 시간을 만드는 것이 바로 '카이로스 향기인문학'이다.

향기인문학

Kairos Perfume Story

ceo@kcbooks.org

도서출판 한국지식문화원 대표
KCN뉴스 발행인
University of Utah 미국 교육학 석사
Cesar Ritz스위스, ICHM호주
국무총리실, 감사원, 행안부, 국토교통부 등
1천 회 이상 강의
SBS뉴스토리, SBS뉴스, MBC 다큐프라임 등
방송출연 60회 이상
저서
「맥주 소담」외 17권 작가

002

국무총리실에서 맥주 강의를?

다시 태어나도 지금 하고 있는 일을 하겠다는 신념이 있다면,
그가 최선의 인생을 산 것이 아닐까 싶다. -김형석 교수-

나는 '맥주인문학' 강사다!

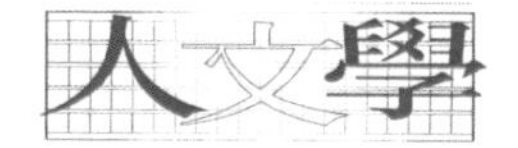

나의 대표 명함에는 '한국지식문화원' 대표로 기재되어 있다. 한국지식문화원은 도서출판을 주업무로 하는 지식문화기업이다. 그 외에 KCN뉴스 발행인, 한국출판지도사협회 회장, 한국비어소믈리에협회 고문, 대한민국주류대상 맥주부문 심사위원, 독일 되멘스 비어소믈리에, 한국작가협회 고문 명함도 가지고 있다. 「맥주 소담」 「맥주 한잔, 유럽 여행」 「여행작가 되는 법」 등 베스트셀러 3권을 포함하여 16권의 저서를 집필한 베스트셀러 작가이기도 하다.

하지만 누군가 나에게 본업이 뭐냐고 묻는다면, 정작 명함도 없는 '강연가'라고 주저하지 않고 답한다. 나는 강사다! 맥주로 관객석 청중의 가슴을 뜨겁게 달구는 맥주인문학 강사다.

그렇다고 내가 맥주를 전공했거나 인문학을 전공하지도 않았다. 미국 University of Utah에서 교육학 석사를 취득했으며, Cesar Ritz 스위스 호텔경영학, ICHM 호주 관광경영학 학위를 가지고 있다.

"강의는 무조건 재미있어야 한다! 강사는 강의를 통해 정보나 지식을 전달하는 것이 아니라, 새로운 의미를 찾아 움직일 수 있는 마음의 울림을 주는 사람이다."

나의 강의에 관한 신념이다. 누구나 하는 강의가 아니라 아무도 하지 않은 강의를 개척하고 도전해야 한다.

2014년 첫 맥주 책을 쓰고 '맥주 강의'라는 새로운 영역을 개척하기 위해 피나는 노력을 했다. 그 당시만 해도 맥주는 그저 '소맥'이나 '치맥'용으로 치부되었다. 그것으로 강의를 한다는 것은 상상도 못 하던 시절이었다. 맥주로 강의를 한다고 하면 모두 의아해했다.

단순한 맥주 양조나 시음 강의가 아니다. 맥주를 소재로 세계 인문학과 여행을 접목한 인문 소양 강의다. 맥주는 인류 역사상 가장 오래된 술이다. 인류가 있던 곳에 맥주가 있었다. 세계 역사 속 순간에 맥주가 함께 했다. 맥주로 풀어나갈 수 있는 인문학 이야기는 무궁무진하다. 그뿐만 아니라 매우 흥미롭다.

맥주는 세계에서 가장 많이 소비되는 술이다. 물과 차를 제외하고 가장 많이 마시는 음료다. 그만큼 많은 사람이 맥주를 좋아하고 관심이 있다. 인문학 요소와 맥주를 즐기는 노하우를 결합하여 더욱 흥미 있는 강의로 다듬었다. 시음이 가능한 경우는 다양한 수제맥주 시음을 겸하여 강의 참여도와 만족도를 높였다. 워크숍 행사에 최적화하며 다른 인문학 강의와 차별화에 성공했다.

아무도 시도하지 않고 모두가 의아해했던 '맥주인문학' 강의로 남들이 가지 않은 길을 개척했다. 무료 강의, 백화점 문화센터 강의부터 시작했다. 시작은 미약하였으나 나중은 창대한 길이 열렸다.

KAIST, 경희대, 중앙경찰학교, 금오공대, 인천대, 대구보건대 등에 외래교수로 인문학 강의를 진행하고 있다. 국무총리실, 감사원, 행안부, 국토교통부, 문체부, 공정거래위원회 등 무수한 정부 중앙부처에서 인문학 강의를 진행한다. 삼성경제연구소, 삼성물산, LG전자, 포스코, 롯데, 한화, 현대철강, SK바이오, 두산 등 대기업에서 1천 회가 넘는 인문학 강의를 진행하고 있다.

SBS뉴스토리, SBS뉴스프리즘, MBC 다큐프라임, YTN뉴스, jtbc 뉴스, KBS아침, 올리브TV, ETN 쇼미더이슈, 글로벌CGTN, OBS 이것이 인생 등 방송에 맥주 관련하여 60회 이상 출연했다.

이쯤 되면 본업이 강연가라고 해도 전혀 어색하지 않다. 사실 소득의 가장 많은 부분이 사업소득보다 강연 소득이다.

나는 인문학 강사다. 대한민국에서 가장 보수적인 조직에서도 맥주로 강의하는 맥주인문학 강사다.

Lager Around The World

맥주로 떠나는 세계 인문학 여행

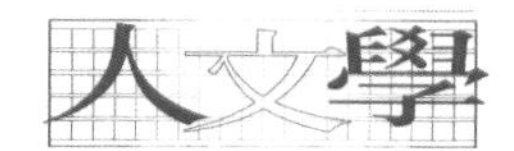

지루하고 따분한 인문학 강의는 이제 그만! 세계 역사 속에 함께하는 맥주 이야기로 인문학 여행을 떠난다. 맥주에 대한 기본 지식과 맥주의 인문학적인 이야기를 풀어간다. 맥주에 숨겨진 재미있고 고급진 에피소드를 배우고, 맥주를 더욱 맛나게 즐길 수 있는 팁과 시음법, 맥주 테마로 떠나는 유럽여행 이야기까지! 선택 사항으로 다양한 스타일의 수제 맥주를 시음할 수 있는 참여형 수업이다.

인문소양교육, 힐링, 스트레스 해소, 아이스브레이킹, 조직 단합의 목적으로 가장 완벽한 강의다. 워크샵, 승진자 행사, 창립기념 행사, 대학 최고위 과정, 학술 세미나 등에 인문교육으로 최적화된 색다르고 재미있는 강의다.

강의가 끝날 즈음이면 어느새 당신도 맥주 전문가! 술자리에서 나를 고급지게 하는 재미있는 맥주 이야기! 이제까지 '소맥'에 빼앗겨 버린 숨은 맥주의 오감을 일깨우고 새로운 맥주의 세계에 빠져들 수 있는 기회가 된다.

맥주인문학 강의 커리큘럼의 예시는 아래와 같다.

인류의 농경 생활을 부른 맥주
맥주가 없었다면 피라미드도 없다?
맥주순수령 어디까지 순수할까?
영국 제국주의 IPA 맥주
맥주 축제가 된 결혼식 옥토버페스트
세상을 바꾼 3대 맥주 발명
금주령이 만든 스타 마피아 '알 카포네'
히틀러, 맥주홀에서 쿠데타를 꿈꾸다
영국을 구한 전투기에 폭탄 대신 맥주
백악관에서 맥주를 양조한 대통령
국산 맥주가 대동강 맥주보다 맛없다?
맥주의 진실 혹은 거짓
잘 못 알고 있는 맥주에 대한 상식
전용잔에 숨겨진 과학
맛을 좌우하는 온도의 법칙
TPO에 맞는 맥주 선택

맥주와 요리의 궁합 페어링
맥주로 떠나는 동유럽 테마 여행
술자리를 빛 내줄 재미난 맥주 이야기
다양한 스타일별 수제맥주 시음 (선택)

흥미로운 참여형 강의를 통해서 조직 내 교류 시간이 적어 서로를 이해할 시간이 부족한 조직원들에게 업무 중 스트레스 감소효과 및 팀원 간의 친밀도, 유대감을 향상할 수 있는 소중한 기회를 갖게 된다. 강의 참여자들은 긍정적인 자기 수용과 장점 강화, 스트레스 관리뿐만 아니라 폭넓은 맥주 상식을 배울 수 있다.

강의가 끝나고 강의장 맨 앞의 VIP가 준엄한 표정으로 강의장을 떠나는 강의, 활짝 웃으며 강사에게 다가가 고개 숙여 인사하고 명함을 건네는 강의! 교육 섭외 담당자들은 어떤 강의를 원할까?

1회 한 시간 내외 강의에서 얼마나 많은 정보와 지식을 전달할 수 있을까? 얼마나 효율적으로 참여자들에게 전달할 수 있을까? 짧은 시간에 전달할 수 있는 지식은 한계가 있다. 하지만 강의를 통한 감동의 전달은 참여자들을 변화시킨다. 변화된 조직원들은 조직을 변화시킨다.

강의는 지식 전달이 목적이 아니라 벽을 허물고 유대감을 형성하는 것이다. 관심 주제로 마음을 열고 힐링, 소통의 시간을 갖는 것이다. 참여자와 강사가 하나 되어 한껏 즐기며 업무의 스트레스를 해소하고 조직원 간의 단합을 도모한다.

나는 강사로 살기로 했다

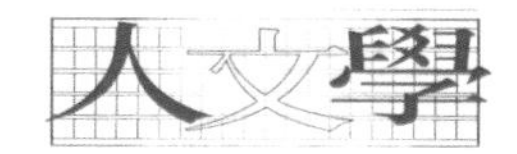

강의를 통해서 고정관념을 깨고 기존의 틀을 탈피하는 사고의 전환이 인문 소양 강의의 목적이며 본질이다.

고전적인 인문학의 틀을 벗어난 색다른 인문학 시도로 성인 누구나 좋아하는 소재를 인문학적 감성으로 풀어나간다. 선택 사항으로 다양한 스타일 수제맥주를 시음할 수 있다. 시음을 겸한 체험형 강의는 강의 참여도와 집중도를 월등히 높여주며, 조별 시음을 통해 구성원 간에 자연스러운 유대감이 형성되고 벽이 허물어진다.

강의는 강의 만족도 설문이 말해준다. 현장의 뜨거운 반응, 강의 만족도 설문, 그리고 VIP 참여자의 반응에서 강의 성과가 결정된다.

강의는 책 몇 권의 지식에서 나올 수 없다. 강사가 살아온 삶의 가치가 녹아야 청중을 움직이는 생생한 감동이 전달된다.

변화를 이뤄낼 시간 60분! 권경민 강사와 같이하는 참여자들이 함께하게 될 것은 단순한 컨텐츠가 아니다. 지식의 미래에 공감하고 오랜 세월 삶에서 배운 소중한 경험이 녹아 있기 때문이다. 세상에 필요한 삶의 자취가 세상을 바꾸는 이야기가 되는 곳에 권경민 맥주인문학 강사가 함께한다.

이제는 한 걸음 더 나아가 세상을 바꾸는 작지만 위대한 움직임에 동참하는 후진을 양성한다. 한국지식문화원은 도서출판뿐만 아니라, 교육컨설팅, 강사 인큐베이팅, 콘텐츠 전자상거래, 인터넷 언론사 업무를 하는 지식문화 기업이다. 한국지식문화원은 단순히 책을 출판하는 회사가 아니다. 저자의 꿈을 이루어 주고, 함께하는 이들의 삶에 가치를 부여하는 것이 주업무다.

일반 대중과 소통 가능한 문화적 지식을 책으로 펴내고 공감할 수 있는 기회를 만들어간다. 사회적, 문화적 가치를 가진 콘텐츠를 보유한 누구에게나 소중한 출판의 기회가 열려 있다. 출판과 강연을 통해 자신의 소중한 경험과 지식으로 타인의 삶을 바꾸는 보람된 움직임에 한국지식문화원이 함께한다. 강사는 그곳에서 더 빛난다.

맥주인문학 강사로 활동하고 있는 지금, 내 인생 그 어느 때보다 행복하다.

“오늘도, 내일도 나는 강사로 살기로 했다.”

人文學

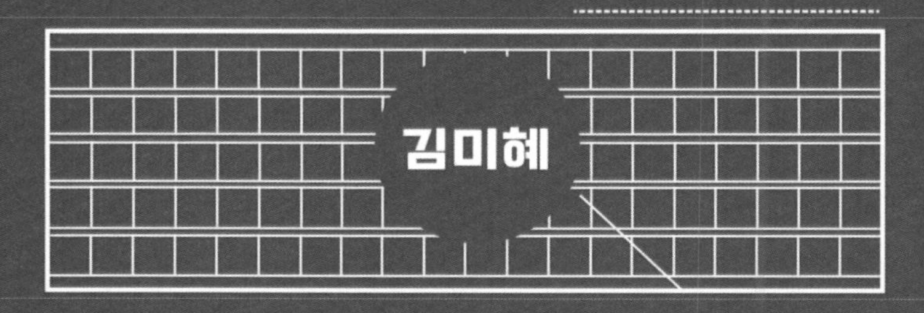

yoahim0225@naver.com

뇌인지인문학연구소 대표
한국원예예술문화원 대표
한국출판지도사협회 임원
한국여가예술문화원 지도교수
한국명강사평생교육원 북부지부 전임강사
은빛나래아카데미 지도교수
교육학, 심리학 전공
강사양성, 강사파견
사회복지사, 평생교육사, 요양보호사
인지활동지도사, 아동심리상담사
노인심리상담사
실버두뇌훈련지도사

003

청춘의 비결
뇌인지인문학

나는 내가 떠난 후에도 오랫동안 나의 일이 사람들을 돕기를 꿈 꿉니다.
-MBTI의 창시자 Katharine C. Briggs, Isabel B. Myers-

나는 뇌인지인문학 강사다

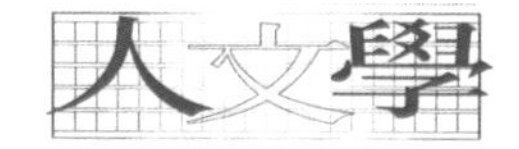

나는 어린 시절 4대가 한 지붕 아래 함께 살며 가족들과 특히 할머니와 할아버지의 아낌없는 사랑을 받으며 살아오면서 자연스레 사람을 좋아하게 되었다. 내 할아버지의 경우 21년생으로 영어, 일어, 중국어까지 4개 국어를 구사하시며 나의 과외 선생님이셨다. 중학교 시절 2차 3차 방정식과 영어, 고등학교에는 제2외국어였던 일본어까지 할아버지와 벼락치기 공부를 하여도 매번 나는 상위권이었다. 그러던 중 언제부터인가 머리가 아프다며 좋아하던 바둑도 멀리하고 누워계시는 경우가 많았다.

평소에 말씀이 없으셨기에 본인이 아픈 경우에도 내색을 하지 않으셨다. 머리가 아프면 아스피린을 장복하며 하루하루 신문과 텔레비전을 보며 생활했다. 지금 생각해 보면 혈관성 치매와 파킨슨 치매가 함께 진행된 것 같다. 어느 순간부터 예전에 하지 않았던 행동을 하며 매일 읽었던 신문도 거꾸로 보기 시작했다. 대형 병원과 한방병원까지 많은 병원에 다녀 보았지만, 그때 당시는 정확한 병명이 나오지 않았다. 다만 뇌혈관질환으로 그런 거 같다는 이야기만 듣게 되었다.

치매는 갑작스럽게 찾아오는 것이 아니다. 그 뒤 할아버지는 할머니와 가족들의 보살핌을 받으며 집 안에서 돌아가셨다. 그 시간 이후로 나는 뇌인지에 관한 공부를 시작했다. 우리 가족에게 이러한 일이 일어나지 않게 하고 싶었다. 늦은 나이라고 생각했지만, 대학에서 교육학과 심리학을 전공하였다.

나는 현재 어르신들과 장애인을 대상으로 소통하며 여러 방면에서 뇌인지와 관련된 여러 강의 활동을 하고 있다. 나의 소명은 사람들이 뇌인지 인문학을 통하여 치매에 걸리지 않고 건강한 몸과 정신으로 백 세까지 살도록 도와주는 것이다. 나는 "뇌인지 인문학 연구소"를 창립하였다. 뇌인지 인문학 연구소는 뇌의 구조와 특성을 알아가며 이해하는 과정에서 사람을 연구하는 것이다.

나는 뇌인지 인문학 강사이다. 인문학이라는 주제는 대부분 어렵고 지루한 학문 인식이 다분하다. 인문학 주제에 뇌 인지까지 하면 다소 딱딱하다는 생각이 들 수 있겠지만, 좀 더 유연하게 풀어보고자 한다. 인간은 서로 더불어 살아가며 혼자만이 살 수는 없다. 인간은 동물들과는 다르게, 태어나자마자 벌떡 일어설 수 없다. 보호자들의 오랜 보살핌을 받아야 한다. '한 아이를 키우기 위해서는 온 마을이 필요하다.'라는 아프리카 속담이 있다.

여러 가지 해석이 있겠지만, 지식과 기술뿐만 아니라 인성이나 사회성, 지혜 등이 필요하다는 의미일 것이다. 뇌인지 인문학은 인간을 알아가고 연구하는 학문이다. 그러기 위해서는 먼저 인간의 뇌에 대해 인지해야 할 것이다.

청춘으로 떠나는 뇌인지인문학

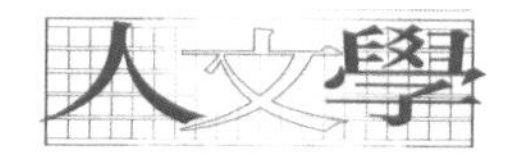

인문학이란 무엇인가? 사전적 의미로는 언어, 문학, 역사, 철학 따위를 연구하는 학문이라 지칭되어있다. 인문학은 고정된 한 분야가 아닌 여러 분야에서 융합되고 재구성되어 가고 있다. 인문학은 사람을 연구하고 알아가는 학문이라 할 수 있을 것이다. 코메니우스는 "사람은 교육이 아니면 짐승과 같고, 교육에 의해서만 비로소 인간이 된다."라고 하였다.

인간은 요람에서 무덤까지 전 생애 걸쳐 평생토록 교육하며 학습해야 한다. 비단 교육과 학습이라는 것은 학령기에 아이들의 공부만이 아니다. 과학 기술의 발달과 급변하는 세상 속에서 학령기 아이들 뿐만 아니라 기성세대인 어른들도 배우고 익혀야만 한다. 그러기 위해서는 무엇보다 정신 줄을 놓으면 안 된다. 소위 말하는 치매에 걸려서는 안 된다는 것이다. 치매란 80세 이상의 어르신들에게만 해당하는 것이 아니다.

요즘은 초로기 치매라 하여 젊은 치매도 심심치 않게 존재한다. 젊은 치매라고 불리는 초로기 치매는 일반 노인성 치매보다 치료 등에 직·간접적 비용이 매우 크게 발생한다. 노인성 치매보다 인지기능 저하는 물론이고 공격성이 강해지며, 초조, 배회, 환시, 망상 등 정서 및 행동 변화가 더 빨리 심하게 나타난다. 이 젊은 치매의 원인으로는 알츠하이머, 혈관성 치매, 유전적, 만성질환 및 스트레스 등 다양한 원인으로 인해 발병될 수 있다고 한다. 정상적인 일반인들과 다른 가장 큰 문제는 바로 인지기능에 문제가 발생한다는 것이다.

치매의 원인 질환에는 70여 가지가 있는데, 가장 대표적인 것은 알츠하이머 치매와 혈관성 치매이다. 알츠하이머의 경우 전체 치매 약 50%를 차지한다. 대표적으로 엘리자베스 1세, 영조, 윈스턴 처칠, 미국 대통령이었던 로널드 레이건이 있다. 이 외에도 루이체 치매, 파킨슨병 등의 퇴행성 뇌 질환과 정상압 뇌수두증, 두부 외상, 뇌종양, 대사성 질환 등 치매를 발생시키는 원인 질환은 매우 다양하다. 파킨슨의 경우 아돌프 히틀러, 마오쩌둥, 성 요한 바오로 2세, 무하마드 알리, 로빈 윌리엄스이다. 파킨슨의 주요 증상으로는 고개를 숙임, 무표정한 얼굴, 처진 어깨, 팔꿈치, 손목, 고관절, 무릎관절이 굴곡되어 앞으로 굽힌 자세를 취하고 있으며 몸통도 앞으로 굽히며 손발을 떨며 움직임이 느려진다. 치매는 뇌인지와 밀접한 관계가 있다.

뇌인지인문학 강의 커리큘럼은 다음과 같다.

앞짱구 전두엽 뒤짱구 후두엽
좌충우돌 측두엽 판단
쑥덕쑥덕 뇌인지 이야기
세계 최초 머릿속에 지우개 발견자
뇌인지 구조를 알면 치매가 두렵지 않다
세계 유명 리더의 뇌인지 이야기
독재자 아돌프 히틀러 최후
중화인민공화국 혁명가 마오쩌둥의 뇌인지
가톨릭 성 요한 바오로 2세
권투 황제 무하마드 알리의 죽음
죽은 시인의 사회 로빈 윌리엄스의 운명
죽기 전에 가봐야 할 우리나라 뇌인지 박물관
세계 뇌의 날을 아시나요?
뇌인지를 통한 스토리텔링의 힘
뇌 체조를 통한 뇌인지인문학
사람을 춤추게 하는 뇌 체조
영화로 떠나는 뇌인지인문학
혈액형과 MBTI
너는 T니? 난 F야!
술은 때로는 우리의 기억을 돕는다
여기는 어디? 너는 누구?

엄청나게 똑똑한 사람들의 이야기
아인슈타인의 특이한 습관 5가지
손이 왜 제2의 뇌인가요?
뇌와 인지기능에 좋은 음식 이야기
음악과 함께 하는 뇌인지 명상
꼼지락꼼지락 뇌인지 미술
흥미롭게 생각할 뇌 이야기
나이별로 추천하는 뇌인지인문학
칭찬으로 하버드 보낼 수 있다.
너 IQ 몇이야?
키 크면 싱겁지만 똑똑하다
머리가 먼저냐 마음이 먼저냐
성난 황소의 머릿속에 벌어지는 일
뇌에도 감정이 있나요?
환각의 뇌
실리콘밸리 팀장들의 뇌 구조

비단 뇌 과학자가 아니라고 하더라도 기본적으로 뇌의 구조를 인지하고 알아가는 가운데 뇌인지인문학이 필요한 것이다. 예전에 혈액형 성격유형이 있었다면 지금은 MBTI로 성격유형으로 분석하며 초등학생까지도 어렵지 않게 즐기고 있다. 뇌인지인문학 역시 어렵지 않게 접근하고자 한다.

마음을 여는 것은 몸과 뇌의 움직임에서 시작된다. 마음 근육이 단단해야 몸과 뇌도 단단해지는 것이다. 상처받는 나를 치유하기 위해서는 나의 뇌를 잘 인지해야 한다. 감정조절이 안 되거나 정서적 애착의 곤란 등의 문제행동이 발생하는 것은 대뇌 전두부 피질이 손상되거나 활성화되지 못할 때 발생한다고 한다. 전두엽의 손상은 성격과 행동에 큰 영향을 주는 것이다.

19세기 미국의 철도 공사에서 25살 청년 '피어니스 게이지'는 폭발 사고로 인해 철봉이 왼쪽 뇌와 눈, 광대뼈까지 관통하는 불의의 사고를 당하게 된다. 기적적으로 그는 생명에는 지장이 없었지만, 전혀 다른 사람이 되었다. 그는 말할 수 있었고, 사고 전후를 기억하며, 걸을 수 있었고, 평범하게 인지할 수 있는 수준까지 회복하였다. 하지만 그는 예전에 성실하고 온화한 성품이 아니었다. 난폭하고 참을성이 없어졌으며 동료들과도 끊임없는 분란으로 인해 결국 직장에서 쫓겨나게 된다. 그 후 성격장애로 인해 정상적인 직장생활이 어려워진 그는 여러 가지 다른 일 하다가 사후 자신의 뇌를 연구해도 좋다는 약속을 하며 그 대가로 살아가며 궁핍한 생활을 하다 37세 젊은 나이에 뇌전증으로 인해 삶을 마감하게 된다. 그는 뇌인지 기능 중 좌측 전두엽의 손상으로 인해 성격장애가 발생하였고 정상적인 삶을 영위해 나가기 어려웠다.

뇌인지인문학은 단순한 지식 전달만이 아니라 삶의 방향을 제시하는 멘토 역할을 한다. 뇌인지를 통해 나 자신을 돌아보고, 삶의 의미와 목적을 찾도록 돕는 것이다. 단순히 학문적인 활동이 아니라, 개인의 성장을 돕는 중요한 과정이다. 일반적인 지식 전달이 아닌, 참여자들과의 상호작용을 중요시해야 한다. 나의 시각과 경험을 공유하고 뇌인지인문학을 통해 다른 사람들의 관점을 이해하도록 강의 환경을 만들고 있다.

뇌인지인문학을 통해 사람의 행복한 삶에 징검다리가 되는 강사로 함께 하고 싶다. 강사는 강의를 통해 다른 사람들에게 영향을 주는 사람이다. 물론 강사가 신이 아니기에 모든 것을 해결해 주거나 영향을 주는 것은 아니다. 뇌인지에 관한 단순한 지식 전달을 넘어 참여자들의 삶 속에 긍정적인 작은 변화를 이끌어내는 소중한 시간을 만들고자 한다. 강의 후에는 참여자들과의 피드백을 바탕으로 강의 내용을 보완하며 발전해 나가고 있다.

나는 꿈꾸는 뇌인지인문학 강사이다

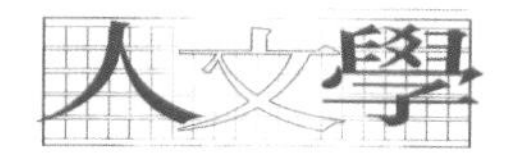

MBTI 검사를 만든 마이어스와 브릭스 모녀. 성격심리학 중 MBTI의 창시자인 그녀들은 칼 융의 심리학 배우게 되면서 자기 남편과 다른 성격으로 힘들어했던 그녀가 남편의 성격을 이해하고자 그녀의 주변 사람들을 16개의 성격유형으로 나누어 이해하고자 하는 목적에서 출발하였다.

지금은 예전의 혈액형 유형보다 더욱더 관심을 받으며 어린아이부터 MZ세대, 아재, 시니어까지도 어렵지 않게 접근하고 있다. 뇌인지 인문학 또한 그러하다. 처음에는 어렵게 느껴질 수 있지만, 복잡하지 않게 단순하면서 쉽게 접근하고자 한다. 생명이 시작되는 태초 태아에서 영유아기를 거쳐 사춘기, 청년기, 노년기에서 사망에 이르기까지 전 생애에 걸쳐 인간의 삶을 이해하는 것부터 출발하는 것이다. 인간의 삶은 모두 다 획일화되어 있지 않다. 다른 환경과 인식 속에서 다른 성격과 인식 이해하는 인지 구조로 되어 있다. 다른 사람을 이해하고자 하기 위해서는 먼저 나 자신을 알아야 한다. 나를 먼저 알아야 한다. 내가 무엇을 좋아하는지 무엇에 마음이 움직이는지를 파악하고 알아가기 위해서는 먼저 내가 무엇에 집중되어 있는지 인지해야 한다. 뇌인지인문학은 나를 알아가는 과정이다.

나는 현재 교육학과 상담학을 전공한 전문가로서 아이들부터 학령기의 학생들과 장애우, 어르신까지 다양한 계층과 만나며 강의하며 소통하고 있다. 때로는 아이들과 어르신들, 장애우들까지 나의 선생님이 되기도 한다. 다양한 분야의 지식과 경험을 바탕으로 참여자들과 소통하며 뇌인지인문학을 통해 더 깊이 있는 통찰의 시간을 선물하고 선물 받고 있다.

뇌인지인문학은 결코 따분하고 어려운 학문적 활동이 아니다. 뇌인지를 통해 나를 이해하고 성장하며 돕는 중요한 과정이다. 뇌인지인문학은 뇌인지에 관해 알아가며 나를 알아가는 과정이다. 강의란 일방적인 지식 전달이 아니라 참여자들과 상호작용하며 함께 알아가며 소통하는 것이다.

나는 "꿈꾸는 뇌인지인문학 강사"이다. 고리타분하게 느꼈던 인문학을 쉽고 재미있게 상호작용하며 소통의 방식으로 뇌인지인문학으로 함께 알아가는 것이다. 어렵게 느꼈던 뇌인지 인문학을 우리의 생활 속에서 쉽게 접할 수 있도록 인지할 수 있도록 노력하는 '꿈꾸는 뇌인지인문학 강사'이다.

kyh@kcbooks.org

도서출판 춤추는책 대표
한국퓨전전통주협회장
퓨전전통주소믈리에
퓨전전통주인문학 강사
KCN 취재 부국장
교육학 석사
출판지도사
체험논술지도사
엄마표 학습 멘토
자격증 육아 멘토
평택대학교 등 1천 회 이상 강의
저서 「핫세언니의 자격증 육아」
「퓨전 전통주 인문학」
「출판지도사」
「체험논술지도사」외 21권

004

좋아하는 일만 하며 살 수 있다고?

술이 사람을 취하게 하는 게 아니라 사람이 스스로 취하는 것이다 -명심보감-

나는 인문학 마시는 빨간구두다

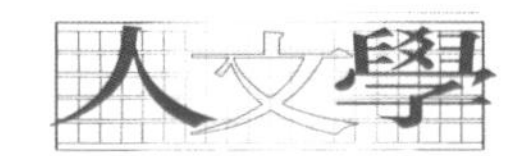

나는 인문학 마시는 빨간구두다. 좋아하는 일을 잘하는 일로 만들어 즐기는 이 시대 진정한 베짱이. 그래서 좋아하는 일만 하며 돈을 번다. 마술과도 가까운 일을, 해낼 수 있었던 비결을 인문학 강의로 풀어낸다.

좋아하는 게 무엇인지 알지 못한 채 평생 일만 하다가 다음 생으로 넘어가는 사람을 보았다. 진정 좋아하는 일이 무엇인지 알기 위해서는 자신에 대한 바른 이해가 우선되어야 하는데, 그럴 여유가 없는 것이다.

세상에 맞추느라, 먹고 사느라, 다른 사람 눈치 보느라 자신을 돌아볼 여유가 없다. 그래서 좋아하는 걸 알게 되는 게 마법 같다. 요즘 청소년은 특히 모두가 좋아하는 걸 하느라 자신이 진정 좋아하는 게 무엇인지 관심도 없다.

뛰어놀다 발견하는 짜릿한 경험을 하지 못하는 사람, 도구 없이 가만히 앉아 시간을 보내지 못하는 사람은 자신을 알 도리가 없다. 경험하고 사색하고 아무것도 안 하는 순간을 만나지 못한 사람은 자신이 진정으로 좋아하는 걸 찾아내기가 어렵다.

다른 사람을 경험하고 나를 들여다보며 침묵하는 순간 수면 위로 올라온다. 설렘과 열정 사이 그것! 어떤 순간에 설레고, 어떤 일을 할 때 열정이 솟는지 알게 된다. 반대로 편안함을 느끼는 게 자신이 좋아하는 일일 수 있다.

어떤 일을 할 때 편안함을 느끼고 쉽게 할 수 있다면 그 일은 평생 할 수 있는 일이다. 때로는 잘하는 일이 좋아하는 일이 되기도 한다. 스스로 인정하고 타인에게도 인정받는 일이라면 더할 나위 없다. 그 일을 평생 하며 돈을 벌면 된다.

퍼스널 브랜딩은 자신을 브랜드화하는 것이다. 진정으로 원하는 일을 하지 않으면 철저하게 소비자를 속여야 한다. 브랜드 그 자체로 반짝일 때 제대로 브랜딩 된 것이다. '퓨전전통주인문학' 하면 '빨간 구두!', '빨간 구두' 하면 '강연작가, 김영희!' 이렇게 즉시 떠오르게 하기 위해서는 그것이 나 자체일 때 진가를 발휘한다.

첫사랑을 만난 날, 그러니까 술을 사랑하기 시작한 날이 내가 스무 살 되던 해, 7월 18일이다. 그때부터 중요한 숫자는 모조리 0718로 통일할 만큼 술과 깊은 사랑에 빠졌다. 술을 제대로 알고 마셨다기보다 우정을 마셨다고 하는 쪽이 맞다.

내가 알게 된 새로운 걸 다른 사람에게 알려주는 게 기쁨이고 설렘이던 그때, 술은 기폭제가 되어 주었다. 한 층 더 높아진 열정으로 좋은 걸 나눌 수 있게 하는 첨가물! 술과 나눔은 나의 힘이었다.

20년간 지속된 열정을 더한 열정은 몰입과 성취를 가져다주었다. 열정에 계획성이 더해졌다면 좀 더 빨리 원하는 일만 하며 살았으리라. 체계와 자동화 시스템을 조금 더 빨리 구축하고 전략적으로 홍보를 했다면 말이다.

그래서 함께하는 사람이 중요하다. 같은 곳을 바라보고 결이 같은 사람을 만나는 일은 인생에서 매우 중요한 부분이다. 먼저 길을 낸 선배에게 조언을 얻고 전문가에게 컨설팅받는 일을 게을리해선 안된다.

자신이 진정으로 좋아하는 일을 발견한 신의 축복을 받은 사람은 즉시 그 일을 먼저 시작해 성취를 거둔 선배를 찾아가거나 전문가에게 컨설팅받아야 한다. 우여곡절 끝에 시스템을 마련한 그들은 최고의 스승이자, 동반자가 되어 줄 것이다.

퓨전으로 즐기는 인문학 세상에서 살기로

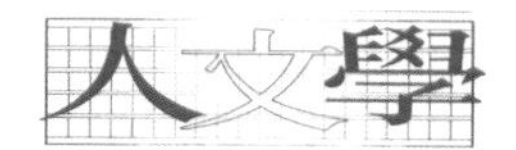

버릴 경험은 하나도 없다. 경험이 쌓이면 좋아하는 일이, 잘하는 일이 된다. 배움이 주는 즐거움을 아는 사람은 새로운 배울 거리를 귀신같이 찾아내 그대로 마셔 버린다. 인문학 마시는 빨간구두처럼 말이다.

인문학 마시는 빨간 구두는 첫아이가 골라준 구두에서 탄생했다. 인문학도인 내가 참으로 가까이하기 힘든 색이 빨강이었다. 왠지 내게 어울리는 색은 검정 혹은 그와 비슷한 회색 정도로 여겨져 옷장과 신발장 안은 온통 검정투성이였다.

3대 사이코 학과 중 하나였던 국어국문학도로서 술과 한국의 언어와 문학에 묻혀 살던 시절에도 모조리 검정으로 입고 걸치기를 반복하며 학교와 집을 오갔다. 그러니 내가 색을 더한 옷을 입는다는 것은 천지가 개벽할 정도의 충격과 맞먹을 정도.

인문학이라고 하면 지루해 하품 나오는 학문 정도로 여겨지는 것은 어제오늘 일은 아니다. 나는 인문학이 그 정도로 여겨지는 것이 나를 그렇게 평가하는 것 같아서 자존심이 상한다. 인문학이 왜 지루해야 할까?

인문학은 우리 삶에 깊이 박혀있다. 어디에나 있고 언제든 이야기 꽃을 피울 수 있는 소재가 인문학이다. 인문학은 인간과 관련된 근원적인 문제를 연구하는 학문이다. 인간과 관련된 모든 이야기가 인문이라는 말이다.

따라서 인간이라면 누구나 자신의 존재에 대해 생각하고 또 함께 존재하는 다른 인간에 대해 고민하고 나누는 시간을 필수적으로 가져야 한다. 인간은 혼자 살아갈 수 없기 때문이다. 인간에 대한 근원적 문제는 어디든 있고 언제든 나눌 수 있다.

어릴 적, 잠자리에서 할머니가 해주시던 옛날이야기 들을 때를 떠올려보면 참 설렜고, 언제든 기대되는 순간이었다. 동화 속 이야기는 인간의 근원적 문제를 참으로 재밌고 쉽게 숨겨놓고 즉시 찾아낼 수 있게 해준다.

그렇다면 우리가 인문학을 논할 때도 하하 호호 웃으며 다 같이 동참하고 끝나기를 아쉬워하며 다음 이야기를 궁금해해야 하지 않을까? 이런 인문학의 변모가, 내가 색을 더한 옷을 입거나 빨간 구두를 신는 것만큼이나 천지가 개벽할 일일까?

그래! 그렇다면 내가 빨간 구두를 신고 아주 재미나게 인문학 이야기 한 판, 벌려 보자. 그렇게 탄생한 것이, 인문학 마시는 빨간 구두다. 첫 번째 마실 인문학은 퓨전 전통주다. 퓨전은 서로 다른 둘 이상의 것을 섞어 새로운 것을 탄생시킨 걸 말한다. 전통주에 개인의 취향에 맞는 과일이나 또 다른 알코올음료를 섞어 새로운 것을 만든 것이 바로, 퓨전 전통주다.

때로는 술이 부정적으로 받아들여질 때가 있는 걸 안다. 첫 번째 이유는 과함이다. 술이 과하면 뜻하지 않은, 의외의 나쁜 결과를 받아들여야 하는 순간이 온다. 가끔은 그 파장이 인생을 송두리째 바꿔 놓기도 한다.

두 번째 이유는 술의 진정한 의미를 진지하게 생각해 보지 않은 체, 기분 대로 때로는 습관처럼 마시기 때문이다. 술이 인간에게 어떤 존재인지 반드시 성찰해봐야 한다. 그리고 위대하고 무서운 술을 자신만의 철학을 담아 음미하며 마셔야 탈이 없다.

세 번째 이유는 술에 대한 철학이 없는 사람이 모여 '부어라, 마셔라.' 하는 문화 때문이다. 술이 분위기나 관계 속에서 긍정의 촉매제 역할을 해야 그 본연의 가치가 희석되지 않는다. 그런데 아직도 사람이 술을 마시는 게 아니라, 술이 사람을 마실 때가 있다.

술과 인문학을 섞어 새로이 탄생한 것이, 퓨전전통주인문학이다. 사람마다 가진 취향과 독특함을 마음껏 드러내고 서로 다름을 인정하는 술자리를 지향하고 '부어라, 마셔라.' 하는 술 문화를 지양하는 게 퓨전 전통주 인문학 모임이다.

술자리에서 상하관계를 드러내며 술을 강요하는 문화는 이제 역사 속으로 사라져야 한다. 회식도 업무에 연장이라며 참석을 강요하고 회사에서 있었던 일을 가져와 이야기 속으로 던지는 일은 이제 하지 말아야 한다.

그래서 탄생한 것이, 스포츠 회식 문화인데 그 또한 역차별이다. 스포츠 싫어하는 사람은 그 자리에 머무는 게 곤욕일 수밖에 없다. 보다 다양성을 인정하기 위해서는 회식 문화의 개혁이 필요하다.

술자리에서 개인의 취향을 존중하고 대화 속에서 상대의 생각을 받아들일 줄 아는 선한 배려가 있다면 많은 사람이 선호하지 않을 이유가 없다. 퓨전전통주인문학 정신을 받아들여 많은 사람이 삶의 재미를 더하고 선한 배려의 문화가 널리 퍼지길 바란다.

퓨전으로 즐기는 인문학 세상은 너와 나의 이야기가 한 방울씩 섞여 전혀 다른 새로운 걸 만들어 내는 세상이다. 멋지지 않은가? 나를 고집하지도 않고 타인을 배척하지 않으면서 만들어가는 세상이다. 자연스럽게 너와 내가 섞이면서 서로 배우고 배려한다.

그래서 나는 퓨전으로 즐기는 인문학 세상에서 살기로 했다.

문화를 만드는 퓨전 인문학

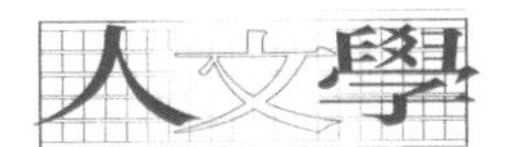

한국퓨전전통주협회에서는 퓨전전통주인문학에 관해 이야기한다. 퓨전 전통주 소믈리에를 배출하고 그 속에서 역사와 전통에 대해 깊이 있는 학술적 모임을 한다. 전통주를 사랑하고 자신의 색깔을 드러내고 싶은 사람이라면 누구나 퓨전 전통주 인문학을 할 수 있다.

더 나아가 퓨전 인문학에 관해 연구하고 개발한다. 도서출판 춤추는책과 함께 인문학에 관련된 저서를 출판한다. 퓨전 인문학 강사를 배출하고 공공기관과 기업에서 강연할 수 있도록 지원한다.

춤추는책은 건강과 함께 책과 강연으로 꿈을 이루는 공간이다. 꽃밭에서 책이 춤추는 모습을 상상해 보자. 얼마나 건강하고 행복해 보이겠는가! 춤추는책에서는 삶의 기본인 건강을 지키는 실질적인 방법을 처방한다. 또한 육체적, 정신적 건강에 관한 강연을 지원하고 그에 관한 책을 출판한다.

허브&플라워는 건강에 관한 허브 코칭과 풀과 같은 꽃을 생산하고 유통한다. 그야말로 삶에 필요한 기본과 아름다움을 지키며 개인의 아이덴티티를 마음껏 드러내는 동시에 사회에 선한 영향력을 미치며 삶을 이어갈 수 있도록 지원하는 지식기업이다.

지금보다 많은 사람이 자신의 색깔을 마음껏 드러내며 살길 바란다. 전통이 왜 예스러워야 하는가에 대해 생각해 보면 딱히 그럴만한 이유를 찾기 힘들다. 전통주를 좋아하고 즐긴다면 퓨전전통주인문학을 통해 깊이를 더할 수 있다.

퓨전 전통주를 통해 역사와 문화, 그리고 개인의 취향까지 녹일 수 있다. 퓨전 인문학을 통해 지루하고 재미없다고 말하는 인문학을 앞다퉈 손들고 참여하는 재미와 감동이 어우러진 강연을 만들 수 있다.

개인의 취향이 사회에 긍정적 영향을 미치고 다름을 인정하는 정의 구현에 이바지하는 날이 곧 온다. 다름을 인정하는 사회, 나아가 세계인이 서로를 배려하고 인정한다면 파괴의 신, 전쟁은 다시 지구에 당도하지 못할 것이다.

한국퓨전전통주협회장이면서 춤추는책, 허브&플라워 대표인 김영희, 나는 퓨전 지식사업가다. 서로 다른 너와 나를, 다름 그대로 인정하고 서로 배워 새로운 세상의 빛이 되길 바란다.

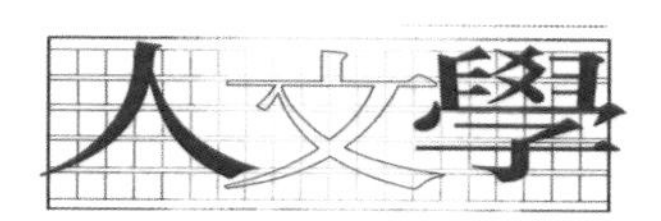
人文學

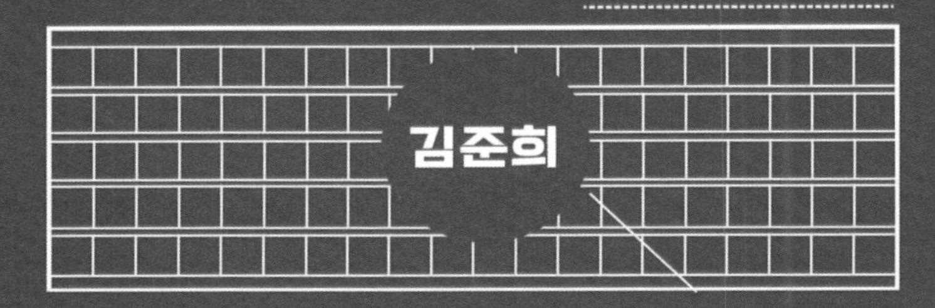

김준희

juni365best@hanmail.net

서준테크 공동대표
전)국제대학교 교수
평택구치소 인성교육 교수
사회복지학 석사
사회복지학 박사수료
사회복지사
요양보호사
성폭력 상담사
학습 상담사
한국아동학대예방협회 안성지부장
병원 동행 매니저 1급
보호관찰위원
한국출판지도사협회 안성지부장
한국퓨전전통주협회 교육이사
저서 「드로잉은 어려운게 아니야」
「길 따라 술 따라 혼술 인문학」
「이유 있는 그녀들의 여행」

005

나는 왜 그동안 인문학을 모른 체했을까!

사람이 하루 종일 생각하는 것 그것이 바로 그 사람이다. -에머슨-

인문학을 선택한 나

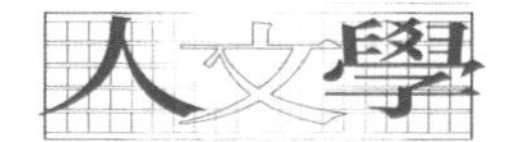

우리는 왜 인문학을 해야 하는가? 삶에 있어 빠질 수 없는 것이 인문학이다. 인간의 삶, 인간다움, 인간의 근원 문제에 관해 탐구한다. 인문학은 언어, 문학, 역사, 법률, 철학 등을 연구한다. 인간의 본질에 대해 경험에 의하지 않고 순수한 이성에 의하여 인식하고 설명한다. 또한, 비판적이다. 분석적으로 접근하여 인간 본질의 중심이 되는 골자나 요점을 다루는 것을 목표로 한다. 인문학은 인간 자체에 적용되는 학문이다. 광범위한 학문영역을 다루기 때문에 완벽한 의견 일치는 이루어지지 않고 있다. 인문학은 사람에 관한 연구다. 인간의 존재와 그 삶의 방법에 대한 대상을 두루 생각하는 인간의 이성적 작용이므로 모든 시대에 걸쳐 삶의 지침이자 나침판 역할을 해야 한다.

나에게 인문학을 왜 하는지 묻는다면.

첫째, 나를 알고, 이해한다, 나를 이해하는 만큼 타인을 이해한다,
둘째, 삶의 풍요로움을 추구한다.
셋째, 다양한 교양의 경험과 창조적이고 창의적인 삶을 살아야 한다.

인문학 강의를 통해 바라본 인문학은 나에게 뜻깊고 의미 있다. 인문학 강의는 특별하거나 지식과 경험이 풍부한 전공자 교수님들의 강의라는 고정관념을 갖고 있었다. 이번 인문학 강의가 나에게 갖다 줄 변화의 시간을 기대해 본다. 나에게 메타인지와 생각의 기술이 생기는 시간이 된 것이다.

인문학 강의는 말로만 쏟아내는 지식이 아니라 청중들로부터 관심을 끌어야 한다. 집중할 수 있게 해야 하고, 행동할 수 있도록 용기를 주어야 한다. 또한, 지혜를 모으고 관심과 공감을 끌어내야 한다. 자연스럽게 창의적인 공부를 하게 한다. 이것이 인문학을 하는 이유다.

인문학 강의는 외연을 확장하고 내면에 있는 내가 나에게 하고자 하는 말이 무엇인지를 알아간다. 이러한 인과관계를 청중들과 함께 호흡하며 객관적인 사실들을 나누며 서로의 생각을 말과 귀로, 눈으로, 몸짓으로 합의점을 찾아가는 것이다. 그 과정에서 진정으로 내가 성장하고 있다고 느끼는 것이다.

나는 강의할 때 청중의 반응에 예민하다. 주로 청중의 눈을 바라보며 호흡한다. 나는 강의하는 것이 두려웠다. 지금도 떨려서 머리가 하얘질 때가 있다. 그럴 때는 영락없이 준비가 덜 되었을 때다. 심리적으로 불안하면 더 많이 초조하고 목소리가 떨린다. 이런 나의 반응은 내가 얼마나 준비를 많이 하느냐에 따라 달라진다. 물론, 준비를 많이 했더라도 그날의 분위기나 상황, 컨디션이 맞지 않을 때는 준비와 상관없이 호흡이 맞지 않을 때도 있다. 그럴 때는 심호흡하고 처음부터 다시 시작하는 마음으로 청중에게 상태를 알려주는 것도 하나의 방법이다.

내가 처음 강단에 섰을 때가 생각난다. 박사과정을 마치고 처음으로 대학교에서 강의를 시작했다. 2015년 3월, 사회복지학과 두 과목을 강의했다. 건강가정론, 사회복지정책론이라는 과목이다. 어떤 방법으로 해야 할지 두렵고 떨렸다. 나를 지도해 주셨던 교수님을 연상했다. 롤모델로 흉내를 내보려고 했던 것 같다. 벤치마킹하려고 애를 썼다. 자료수집하고, 읽고, 암기하는 시간이 부족했다. 기업을 운영하면서 강의 준비를 했던 나에겐 무척이나 벅찼다. 1시간 강의를 하기 위해 일주일 정도를 꼬빡 집중해서 준비했어야 했다.

박사과정을 하던 시간 내내 연구 주제를 찾지 못해 매일 고민했다. 전공자들은 사회복지 기관이나 시설에서 근무하는 실무자들이 많았다. 나는 실무가 기업경영이었으니 찾기가 어려웠다.

'이 과정이 끝나고 나면 내 인생에는 어떤 변화가 있을까?'라는 갈등과 고민의 시절이었다.

그 당시 나는 중소기업의 임원으로 기업을 창립한 주주였다. 전기 자동제어장치를 조립하는 제조업이다. 지금은 그때 비하면 오십 분 일의 규모로 축소되었다.

그 당시 다행히 회사가 나날이 번창했고, 매년 매출이 늘어났다. 사회봉사 활동과 다양한 서클 모임을 했다. 모임과 회사 업무가 많았기에 공부와 연구할 시간이 부족했다. 그러다 보니 박사과정이 재미가 없었다. 재미와 가치를 느끼는 건 시간 투자의 비례에서 성립된다.

고정으로 들어오는 급여와 법인카드로 업무비를 지원받았다. 업무와 맞지 않는 공부를 하면서 스스로 해야 할 이유를 찾았다. '하고 싶은 것만 하고 살자'가 삶의 모토였기 때문에 스스로 합리화하며 공부에 대해 열정적이지 않았다. 어떻게 시간이 지났는지 모르게 3년이라는 시간이 흘렀고 박사과정은 갈등과 고민의 연속으로 시간에 쫓기며 마무리했다.

목표는 과정을 잘 끝내는 것이었고 포기는 하지 않았다.

박사 선배가 대학교에 강의 자리가 나왔다고 이력서를 넣어보라며 소개해 주었다. 간절한 마음보다 그런 기회가 주어진다면 '한 번 해볼까!' 하는 가벼운 마음이었다. 그 후로 일주일, 감사하게 학교 주임교수님으로부터 합격 통지를 받았다. 그날은 얼떨떨해 기분만 떠 있었다. 내가 꿈꿨던 교수님이라는 타이틀, 직업란에 한 줄 더 적어 넣을 수 있다는 것, 직함도 하나 더 생겼다는 것이 나를 흥분시키기엔 충분했다. 강단에 서서 학생들을 가르칠 수 있다는 게 꿈만 같았다. 그렇게 한 달 동안을 행복한 고민과 걱정으로 지냈던 것 같다.

2015년 3월 학기가 시작되었고 강의하는 "나", 또 다른 직함과 직업이 주어진 "나"가 되었다. 강의를 시작했다. 강의한다는 건 만만한 일이 아니다. 특히, 정책론은 어려운 과목이라 자료준비가 여간 힘든 게 아니었다. 그렇게 한 학기를 마무리할 때쯤 두 가지를 깨달았다.

첫째, "어렵다고 생각했던 것도 포기하지 않고 실행하면 되는구나!"
둘째, "진정한 공부는 강의를 통해 이루어진다"는 것이었다.

지금도 마찬가지다. 인문학 강의를 통해 '하면 되겠구나' 하는 도전과 용기가 생겼다. '마음먹었다면 빠져볼까?' 하는 수용을 하고 있다. 인문학은 삶, 사회, 인간, 사고, 언어, 문학, 역사, 법률, 철학 모든 것이 접목된다는 자체가 나에게 제시되는 모든 것이 흥미롭다. '처음이지만 두렵지 않아'로 마음을 진정시키고 있다. 지금은 너무 감사하게 긍정의 에너지가 솟구친다.

처음 도전은 누구에게나 가슴 떨리는 어색함으로 다가온다. 포기라는 생각도 수시로 한다. 그러나 인내하고 참아내니 또 다른 나의 타이틀이 주어진 것처럼 인문학 강의 입문도 설레고 있다. 이제 경영인과 사회복지사에서 인문학도가 되는 것이다. 마음 편하게 천천히 가보자.

생각과 마음이 전환된다는 건 우연한 계기로 변하기도 하고 지속적인 터치와 울림으로 변하기도 한다. 나에게 이런 변화는 사람을 통해 기회가 주어진다. 기쁨과 슬픔, 희망과 용기, 위로와 격려, 성장과 만족까지도 사람을 통해 꾸준히 변화하고 성장하고 있다. 누군가를 통해 감동하고, 질타하고 비판하면서 투영하고 공감한다. 참으로 감사하다.

인문학은 삶의 근원에 대한 탐구다. 인간존재의 의미와 가치, 삶에 대한 사색과 탐구는 인류 역사에서 지속해서 이루어져 오고 있다. 문화와 문명이 발전하고 진보할수록 인간의 존재와 삶에 관한 연구는 더 복잡해지고 심화한다. 사회복지와 어떤 면에선 비슷하다. 둘 다 목적이 사람에게 있고 풍요로운 삶과 잘 사는 것을 연구한다.

철학을 포함한 문학과 역사, 사회학과 예술계의 인문학자들이 표면으로 나와야 한다. 지식을 넘어 지혜와 지성 그리고 영성의 능력으로 거듭나야 한다. 인류는 인간의 한계를 극복하고 능력을 확장하고 있다. 지능 지수를 높이기보다 지성과 영성 지수를 높여야 한다.

근대 말 철학자 니체는 “현재 나의 운명을 수용하고 지금의 ‘나’를 넘어선 그 무언가가 될 수 있도록 노력해야 한다”라고 했다. 곧, 인문학이다.

2007년 1월 스티브 잡스는 ‘아이폰’을 발표하면서 애플의 기술이 인문학과 접목되었음을 강조하였다. 그 후 국내에서는 인문학 광풍이 불었다. 기업이나 관공서 가릴 것 없이 인문학적 정신과 태도를 갖춘 창의적 능력과 창조적 역량을 인력 채용의 기준으로 설정하기 시작했다. 인문학이 모든 분야에서 필요하다는 것이다.

인문학 교육과 학습을 위한 체계적 시스템 없이 고전과 문학 작품을 읽고 역사 유적지 탐방이나 음악·미술 등 예술 활동만으로 인문학적 정신과 태도가 갖추어진다고 보는 것은 오산이다.

자기 삶의 무게를 지탱할 수 있는 내공을 키워갈 수 있도록 다양한 인문학프로그램이 주어져야 한다. 이번 인문학 강의가 프로그램 중 하나다.

시스템에 빠져보자.

건강한 먹거리로 건강을 추구하는 건강한 인문학

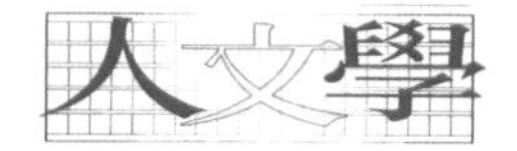

건강한 육체에 건강한 정신이 깃든다. 현대인에게 가장 가장 큰 관심은 건강에 있다. '건강'은 '아프다, 아프지 않다'와 동의어는 아니지만 아프지 않아야 건강하게 행복한 삶을 살 수 있다. 사전적 의미로 건강은 정신적으로나 육체적으로 아무 탈이 없고 튼튼한 상태를 말한다.

지금을 살아가는 사람들은 지나칠 정도로 운동에 큰 비용을 내며 살아간다. 육체의 건강에 기울어진 결과다.

건강하면 '잘 먹고, 잘 자고, 잘 싸게 되어 있어'로 바꾸어 말하고 싶다.

잘 먹고, 잘 자고, 잘 싸기 위해서는 먹거리가 제일 중요하다.

먹거리는 종합적이고 창조적이며 과학적이다. 자연과 인문학을 담으면 자연 인문학이다. 사람이 먹는 먹거리야말로 진정한 인문학과 접목할 가치가 있다. 최근 뇌과학이 발달하면서 건강에 대한 관점이 기존의 사고에서 벗어나고 있다. 과학적으로 증명된 자료들에도 나타나지만 한 사람의 건강은 영, 혼, 육이 개별적으로 나타나는 것이 아니라 아주 예민하게 밀접한 연관성이 있다. 통합적, 전인적(인간의 세 가지 심적(心的) 요소인 지성, 감성, 의지를 균형 있게 갖추어 원만한 인격을 지닌 사람)으로 살펴보아야 한다. 육체와 정신, 마음이 함께 건강해야 진정한 건강이다.

건강은 아무리 강조해도 지나치지 않다. 하루에도 몇 번씩 건강에 관한 정보가 쏟아지고 있다. 그러나 실천하지 않으면 아무것도 아니다. 이번 인문학 강의에서는 건강한 먹거리에 관해 얘기해 보자.

건강을 책임지는 요소 중 가장 중요한 것이 먹거리이다. '내가 먹는 것이 곧 나를 만든다'라는 말처럼 무엇을 먹느냐가 그 사람을 만든다. 살을 빼고 싶은데 하루 종일 입에 먹거리를 달고 있으면 살이 빠질까? 살을 빼기 위해선 좋은 것을 먹는 것에 집중하고 습관을 들여야 한다. 어떤 것을 먹는지 보면 그 사람의 건강 상태를 알 수 있다.

무엇을 먹느냐가 그 사람의 건강 상태가 나타난다. 우리의 몸은 너무나 정직하다. 좋은 것을 먹으면 좋은 몸이 만들어지고, 나쁜 것을 먹으면 몸이 나빠지는 건 당연한 결과이다. 좋지 않은 먹거리를 취하면서 어찌 내 몸이 건강하길 바라는가. 내 몸을 사랑하고 아껴줘야 오래도록 사용할 수 있다. 입에 맛있는 음식만 고집하면 내 몸은 생각보다 빨리 노화하고 아플 것이다.

나의 하루 루틴은 건강을 챙기는 것부터 시작한다. 일어나자마자 소금 양치를 하고 손을 씻고, 미지근한 물을 한 컵 마신다. 사과, 당근, 양배추를 블렌드에 갈아 주스를 만든다. 적은 양의 탄수화물과 과일로 아침 식사를 한다. 하루 먹거리 중 아침 식사를 가장 주요하게 생각한다. 첫 끼니는 빈속의 식사이니 흡수가 잘되는 좋은 재료를 몸에 넣어 주는 습관을 들이고 있다.

누구나 건강한 먹거리로 건강한 몸과 건강한 정신으로 건강하게 살길 원한다. 그러기 위해선 평소에 먹는 것을 살펴봐야 한다.

생각해 보니 어릴 때 엄마가 해준 음식이 완성에 가까운 건강식이었다는 것을 나이 들고 알았다. 지금은 엄마의 음식이 너무나 그립다.

패스트푸드나 조미료가 많이 첨가된 음식은 되도록 피한다. 그런 음식을 먹고 나면 입안이 텁텁하고 속이 좋지 않아 가스가 찬다. 패스트푸드를 피하는 습관은 건강에 대한 니즈가 강해서이다.

건강한 몸을 만들기 위해 건강한 먹거리는 필수 요소다.

과거에 비해 먹거리에 대한 인식은 많이 변했다. 생활 수준이 높아지고 웰빙의 관심은 먹거리의 중요성으로 자연스럽게 높아졌다. 현재 건강의 상태는 과거에 섭취한 먹거리의 결과이다.

의학의 아버지 히포크라테스는 “음식으로 고치지 못하는 병은 약으로도 고칠 수 없다.”라고 했다. 매일 접하는 먹거리의 중요성을 강조한 것이다.

일본의 장수 의사 히노하라 시게아키 박사는 105세까지 내과 전문의로 활동하다가 2017년 세상을 떠났다. 105세까지 강연과 집필은 물론 의사로서도 왕성한 활동을 했다. 사망하기 몇 달 전까지도 하루 최대 18시간씩 일하며 환자 치료를 했다. 히노하라 박사는 “사람은 유전자로 마흔까지는 산다. 그 후엔 제2의 유전자로 살아야 한다. 그것은 바로 좋은 생활 습관이다.”라고 말했다. “생활습관병”이라는 개념을 만드는 예방의학 발전을 이끌었다. 생활습관병에는 고혈압, 당뇨병, 심혈관질환, 암, 등인데 잘못된 식습관과 생활 습관으로부터 발생한다. 생활습관병의 대부분은 잘못된 식생활과 운동 부족, 스트레스가 원인이다.

몸을 편안히 하는 근본은 음식에 달려있고, 바르게 먹는 것을 알지 못하면 생명을 온전히 보전할 수 없다. - 동의 보감(잡병편) -

내가 오늘 먹는 것을 기록한다. 기록하면 물만 먹어도 살이 찐다는 얘기를 하지 않을 것이다. 건강한 먹거리를 챙기는 것이 자연스레 내 몸을 사랑하는 방법이다. 내 몸 사랑을 건강한 먹거리로 표현해 보자.

“내일 건강하게 강의하고 일을 하고 싶다면 오늘 건강한 먹거리로 내 몸을 채워야 한다.”

나는 나로 살아갈 때 가장 빛이 난다

명랑하지만 가볍지 않고, 차분하지만 무겁지 않은 사람으로 살고 싶다.

경험과 탐색을 통해 스스로 판단하고 스스로 결정하는 방법을 모색하는 나로 살아야 한다.

의존형으로 살기보다 내 결정과 행동엔 내가 책임지는 진짜 나다움으로 살아야 한다.

나로 살아가기 위해선 나에게 관심을 가져야 한다.

지금! 바로! 나에게 관심을 가져야 한다.

지금까지 내가 어떻게 살아왔는가?

어떤 가치를 추구하고 살고 있는가?

무엇을 하면 행복한가?

남들과 다른 건 무엇인가?

자신을 탐색하고 아는 것을 기준으로 스스로 판단하고 결정하는 삶이 진짜 "나"가 아닐까.

고민을 지나 위기를 극복하는 과정이 지나면 비로소 스스로가 신뢰하고 존중할 수 있는 나로 빛이 날 것이다.

건강을 지키기 위해 편식하는 나. 사람을 좋아하고 정을 나누기를 좋아한다. 그래서 주위에 사람들이 많다. 사람들이 많다 보니 정작 내 시간이 없다. 이제 나이를 먹다 보니 바쁘게 살기보다는 내가 편한 사람과 시간을 보내고 싶다.

편한 사람과 함께 할 수 있는 게 무엇이 있을까? 자연스레 음식으로 정을 나눈다. 같이 식사를 하면 식구라고 한다. 식구는 가족처럼 가깝게 생각한다는 뜻이다. 거기다 술을 마실 수 있는 사이라면 가족만큼이나 친밀하고 끈끈함을 함께 나누고 싶다는 뜻이 아닐까.

더 늦기 전에 편한 사람들과 "밥정과 술정"을 나누고 싶다.

한국인의 정서로 빼먹지 않고 하는 인사가 "식사하셨어요?"다. 고립과 분리보다는 협력과 연대의 힘을 가지고 있다. 건강의 안부와 행복을 나눈다는 의미에서 함께 한다는 것이다. 건강한 삶을 살기 위한 기본이다. 식사를 함께한다는 건 마음을 나누는 것이다. 어쩌면 내가 할 수 있는 능력으로 따뜻한 마음을 전할 수 있는 것이 '식사를 함께할 수 있다는 것'이다. 매일 밥상에서 함께 했던 아이들도 독립하고 내 옆에 없기에 함께 식사할 수 있는 사람이 그리워진 것일까.

시간을 나누고 음식을 나눈다는 건 배만 부른 것이 아니라 마음 속까지 풍요롭고 따뜻해진다.

"나는 술을 좋아한다. 아니 술자리를 좋아한다."라고 해야 맞겠다.

어릴 적 아버지는 농사일을 끝내고 집에 돌아오시면 나보다 더 큰 누런 양은 주전자를 쥐여 주셨다. 마을회관에 가서 술을 받아오라는 심부름이었다. 예닐곱 살 때였나. 주전자에 담긴 막걸리를 홀짝홀짝 마셨던 추억이 있다. 그 이유 때문일까. 막걸리를 너무 좋아한다. 식사할 때 메뉴에 따라 술 종류가 달라지지만 난 그렇지 않다. 대부분 선택은 막걸리다. 또 하나 이유는 건강하게 칵테일을 쉽게 만들어 먹을 수 있기 때문이다. 막걸리는 와인과 함께 건강주에 속한다. 다음엔 막걸리에 대한 주제로 글을 쓰고 싶다.

막걸리를 보면 내가 생각난다는 친구들이나 지인들. 자연스레 연관되는 건 비 오는 날 막걸리다. "비가 오면 생각나는 그 사람"이 "나"가 되었다. "막걸리가 생각나서 연락했어." "오늘 막걸리 한잔 어때?" 지인들은 말한다. "막걸리를 안 먹게 생겼는데 막걸리를 좋아해서 의외다"라고. 취향이 외모와 연관이 있을까? 나도 궁금하다.

내가 구상하는 것 중 하나가 "막걸리 카페"를 운영하는 것이다. 건강한 막걸리도 만들어 먹고, 그림도 전시하고 독서도 할 수 있는 장을 만드는 것이다. 예술을 좋아하고 막걸리를 좋아하는 사람이면 모두 환영이다. 건강한 먹거리를 만들어 먹으면서 건강에 대한 정보도 나누고, 공부도 한다. 막걸리 카페에서 많은 사람들과 건강하게 정을 나누며 늙어가고 싶다.

우리의 몸은 거짓말을 하지 않는다. 몸을 사랑하고 표현하고 소통하면 자신있고 건강한 몸이 된다. 건강한 몸으로 하고 싶은 일을 마음껏 하며 살자.

"나를 앎으로 더 빛나는 오늘의 나"이길.

人文學

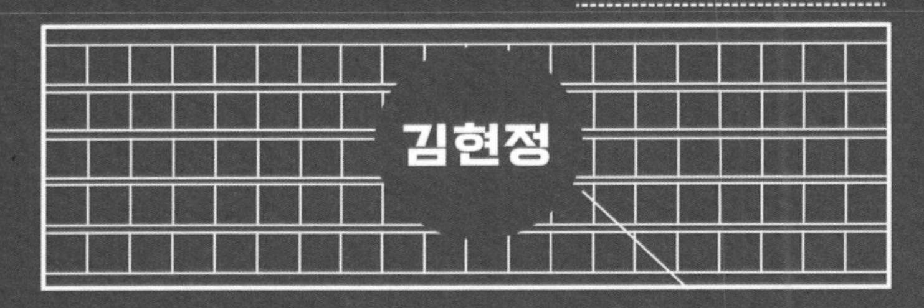

khjmsk1@gmail.com

세포마인드셋 창시자
출판지도사
KCNEWS 기자
독서토론지도사
영어독서지도사
자기주도학습지도사
심리상담사
원예심리상담사
색채심리상담사
세바시 북퍼실리테이터
와디즈 펀딩플래너
KCNEWS 취재부장
저서 「덕분에 더 나은 사람이 되었어」
「인생 밀당 게임에서 성공하는 법」
「마음을 움직이는 퍼스널 브랜딩 」

006

진화된 욕망,
세포인문학

일반적인 인생의 의미는 없습니다.
인생의 의미는 당신이 자신에게 스스로 부여하는 것입니다. -아들러-

새로운 욕망

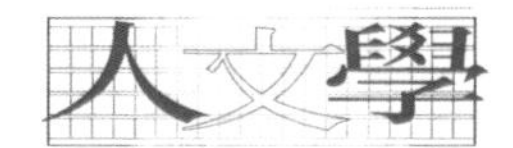

욕망은 심리적 인문학이다. 정의를 어떻게 하든 인간의 삶은 욕망으로 표현된다. 욕망은 의식적이든 무의식적이든 간에 살아가면서 존재로 보이게 하는 힘이 강하다. 이 심리적인 부분을 과거의 현자들을 통해서 좀 더 간단하게 살펴보면 이미 데카르트는 의식만이 실재한다고 표현했다. 반면 프로이트는 무의식이 인간의 행동과 정신에 큰 영향을 미친다고 보았다. 융은 의식과 무의식의 상호작용을 강조했고, 개인의 성장과 발전을 위해서는 두 영역 간의 균형이 필요하다고 했다. 그리고 아들러는 개인 심리학으로 감정 선택적 인간의 삶에 더 다가가는 쪽을 택했다. 이 아들러의 심리학은 이상적인 나를 비교해서 변화하는 인간의 긍정성을 강조했다. 또 빅터 플랭클도 아들러의 영향을 받았다. 과거보다는 미래에 초점을 맞추고 임상 심리학으로 발전시켰다.

이처럼 인간 삶의 모든 영역에는 이 신비롭기도 한 심리적인 요소가 상호 작용하며 꽤 중요한 비중을 차지하고 있다.

그리고 지금 이 시대는 AI와 ChatGPT가 너무도 인간처럼 되어가고 있다. AI는 인간 행동과 인지과정을 모방한 컴퓨터 시스템이다. 이것은 어쩌면 역으로 인간의 의식과 무의식의 작동 원리에 접근해 가고 있는지도 모른다. 그럼 질문하나 해볼까요?

AI가 인간의 의식과 무의식에 접근한다고 한다면 그 AI 컴퓨터는 인간의 삶을 살아간다고 말할 수 있을까요? 그는 과연 인문학을 경험한다고 할 수 있을까요?

매우 조심스러운 질문이지만 이미 AI의 미래를 예측하기에는 그 기술적인 부분이 너무도 빨리 진행되고 있다. 가히 상상하기조차 힘든 부분까지 발전해 가고 있다. 아직 어떤 섣부른 판단도 하지 않겠지만, 우리는 아주 심하게 고민해야 할 필요가 있다.

AI 적인 관점이 아니라, 인간의 관점에서!

이렇게 된 마당에 인문학적인 부분은 인간이 가진 보루라고 해도 가장 적합할 것이다. 인문학은 인간이 만들어내는 모든 것이 예술적인 감동과 깊이로 어우러진 것이기 때문이다. 하지만 기존의 것으로는 역부족이다. 과감히 틀을 깨고 연결하고, 수용하고, 융합하고, 재창조의 혁신을 거듭해야 할 때이다.

이제 곧 인공지능 시대로 쑥 들어갈 것이다. 우리는 AI를 탐구해야 하기도 하지만, 인생을 더욱더 탐구하고 표현하는 창조의 세계를 만들어가야 한다. 인문학의 지평을 더 넓혀야 하는 시대니까. 그래서 인문학에서는 인간의 욕망이 아주 중요한 소재이다. 그중에서 지적 욕망은 단순히 인간의 정신적 활동에 그치지 않고 생명의 공간에서 일어나는 특별한 경험이 더해진다. 바로 세포 수준에서도 복잡한 신호전달과 유전자 발현 조절 과정을 동반한다는 것이다. 이 상호작용은 더 높은 차원의 학습과 기억 기능과도 연관이 있다. 이 원리는 뇌세포의 가소성에서도 이미 밝혀진 바가 있다.

철저히 인간의 관점에서 살펴본다면, 이제는 세포의 의식과 무의식적인 면을 무시할 수 없는 부분이 되었다. 1970년대의 신경과학자 벤자민 리벳(Benjamin Libet)은 인간 행동에는 무의식적인 신경 활동이 선행된다는 사실을 발견했다. 결국 세포 무의식적인 활동은 "자유의지"에 대한 논쟁으로까지 번졌지만. 여전히 의식이나 자아를 허상일 뿐이라고 주장하는 사람들도 있다.

하지만 최근에는 세포적 무의식 연구 결과가 심리학, 경영학, 신경경제학 등 다양한 분야에서 실용적으로 활용되고 있다. 또 마케팅, 의사결정, 창의성 향상 등에 세포 무의식적인 메커니즘이 적용되면서 실제의 삶에서도 알게 모르게 쓰고 있다.

사실 우리는 일상을 살면서 의식하지 못하지만, 우리 몸은 저절로 복잡한 생물학적 과정을 끊임없이 반복하고 있다. 특히 우리 몸의 기본 단위인 세포 차원에서는 무의식적이고 자동화된 활동이 끊임없이 진행되고 있다. 이러한 세포 무의식을 이해하고 인문학적으로 해석하는 것이 필요하다. 그렇게 함으로써 우리 스스로 생명체로서의 정체성을 깊이 있게 탐구할 수 있도록 도와줄 수 있다.

우리의 세포가 하는 이 무의식적이고 지적인 욕망이야말로 인간을 제대로 알아갈 수 있는 중요한 힌트일 것이다.

"잘 될거라 생각하면 길이 보이고, 안 될거라 생각하면 벽이 보인다."

이 말은 자신도 모르게 '생각하기'에 초점을 맞추게 할 것이다. 하지만 아니다. 우리 몸은 이미 생각하기도 전에 무의식적으로 행동할 수도 있다는 것을 알아야 한다. 그러면 우리가 할 수 있는 일이 있을까요? 사실 지금 생각하는 자체를 먼저 조정하기는 어렵겠지만, 자기 행동을 먼저 관찰하는 것으로는 조정해 나갈 수 있다. 그러려면 지금 나 자신이 무엇을 보고 있는지 최대한 빨리 파악하는 것이다. 길을 보고 있는지, 벽을 보고 있는지! 생각에 그치지 않고 변화를 원한다면 자신 안에 어떤 생각이 담겨 있는지 생각에 너무 집중하지 않는 것이 좋다. 처음엔 나의 몸을 의식하는 것이 먼저이다. 그렇게 차차로 생각을 재조정하고 행동 수정해 갈 수 있다. 이 방법은 쉽고 빠르게 변화로 이끈다. 물론 일정한 훈련이 필요하다. 그러기 위해서는 자신을 객관적으로 바라보는 제3의 또 다른 나를 인식하는 훈련도 필요하다. 이것은 메타셀프를 인식하는 훈련이다. 세포가 하는 이 무의식적이고 지적인 새로운 욕망의 세계는 계속 진화하고 있는 중이다.

진화된 욕망 속의 건강한 세포마인드

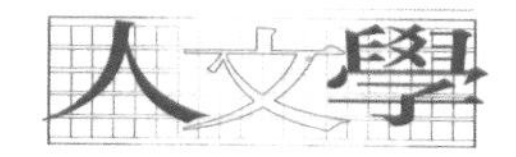

1, 세포라고 쓰고 마인드라고 말한다.

우리의 몸을 이루는 기본적인 단위는 바로 세포이다. 살아 움직이는 이 작은 생명체 안에는 우리의 마음과 정신이 담겨 있다. 세포가 건강하고 균형을 이루어야 우리의 마음도 건강하고 조화롭게 작용할 수 있다. 따라서 우리는 우리 자신의 세포에 주목하고, 그 안에 숨어있는 내면의 힘을 깨닫고 발전시켜야 한다.

즉 세포와 마인드는 밀접하게 연관 있다. 마음의 힘은 세포 수준에서 발현되어 우리의 정신적, 신체적 건강을 결정한다. 세포들은 마음의 영향을 받아 신호를 주고받으며, 이를 통해 우리의 건강이 균형을 이루게 된다. 우리의 세포는 마음의 상태에 따라 직접적인 영향을 받는다. 예를 들어, 스트레스를 받으면 세포가 손상되고 노화가 가속화되며, 행복한 마음은 세포의 성장과 재생을 도와준다.

마찬가지로 세포의 상태는 우리 마음에도 영향을 미친다. 건강한 세포는 긍정적인 마음을 불러일으키지만, 질병이나 손상된 세포는 걱정과 불안을 일으킬 수 있다. 이처럼 세포와 마음은 상호작용하며 서로에게 중요한 역할을 한다. 이를 이해하고 균형을 잡는 것이 건강한 삶을 위해 매우 중요하다.

2. 세포와 마인드의 이해

세포와 마인드의 관계를 이해하기 위해서는 이들을 꼼꼼히 관찰하는 것이 좋다. 세포와 마인드는 상호작용하며 끊임없이 변화하는 동적인 시스템이기 때문에, 이들을 관찰하고 분석하여 그 역동적인 관계를 파악해야 한다.

관찰의 방법에는 단계적으로 접근하는 것이 좋다.

첫째, 세포 수준에서의 관찰하는 방법을 현미경을 이용할 수는 있지만, 이것은 심상화, 상상력의 방법으로 가능합니다. 이것은 생각의 수준이다.

둘째, 마음 수준에서의 관찰로는 명상, 심리 검사 등을 통해 마음의 상태와 과정을 관찰한다. 이 과정은 마음으로 느끼는 과정을 알아채는 것이다.

셋째, 통합적 관찰로서 세포와 마음의 다양한 수준에서 종합하여 전체적인 관계로 파악하는 것이 좋다. 이 과정이 바로 행동하게 하는 욕망 중에서 가장 큰 에너지를 가진 과정이다. 감각적인 감정까지도 선택하는 과정이다.

세포와 마인드의 관찰을 통해 우리는 이들의 복잡한 상호작용과 역동적인 변화 과정을 이해할 수 있다. 이를 바탕으로 우리의 삶과 건강을 더욱 풍요롭게 만들어 나갈 수 있다.

이러한 과정에는 인식의 변화가 필요하다. 세포와 마인드와의 관계를 새롭게 이해하려고 노력하면 가능하다. 그리고 기존 관념에서 벗어나 새로운 시각을 확립하는 패러다임의 전환을 맞추어야 한다. 그럴 때 우리는 자신을 돌아보며 성장하는 자기 성찰을 계속해 나갈 수 있다.

과거에 우리는 세포와 마인드를 분리된 두 개의 개념으로 보았다. 그러나 최근 연구에 따르면 이 둘은 밀접하게 연관되어 있으며, 서로에게 지대한 영향을 미치는 것으로 나타났다. 이러한 인식의 변화는 우리가 세포와 마인드의 관계를 새롭게 조망할 수 있게 하였다. 우리는 좀 더 통합적이고 균형 잡힌 관점에서 이 관계를 바라볼 수 있게 된 것이다. 이제는 세포와 마인드의 통합적 접근을 강조하고 있다. 이는 단순히 세포의 신체적 건강만을 관리하는 것이 아니라, 마음가짐과 태도를 함께 고려해야 한다는 것을 의미한다. 우리의 신체 곳곳에는 수십조 개의 세포가 존재하며, 이 세포들은 서로 긍정적으로 상호작용하며 우리의 건강과 Well-Being을 지켜준다. 마인드 또한 이 세포들과 강력하게 연결되어 있어, 마음의 상태에 따라 세포가 반응하고 변화한다. 따라서 세포와 마인드를 균형 있게 관리하고 실천하는 것은 매우 중요하다.

그리고 개인마다 적절한 운동은 세포와 마인드의 균형을 잡는 데 도움이 된다. 운동은 세포를 활성화해서 신진대사를 높이고, 동시에 마음의 안정과 스트레스 해소에 도움을 준다. 또한 명상이나 요가 등과 같은 마음수련 활동도 세포와 마인드의 조화를 이루는 데 도움이 된다. 이러한 실천을 통해 우리는 더욱 건강하고 행복한 삶을 살 수 있다.

이와 함께 건강한 식단도 세포와 마인드의 균형을 위해 필수이다. 신선한 과일, 채소, 유기농 식품 등은 세포에 필요한 영양분을 공급하고 마음의 안정을 가져다준다. 충분한 수면과 스트레스 관리 또한 세포와 마인드의 조화에 도움이 된다.

3. 세포와 마인드 관리 기술

세포와 마인드의 관리 기술로는 3가지로 요약할 수 있다.

- 마음 관리

마음을 관리하는 기술은 세포와 마인드의 균형을 유지하는 데 핵심적이다. 명상, 요가, 심호흡 등의 마음 챙김은 스트레스를 줄이고 집중력과 자아 인식을 높일 수 있다. 또한 긍정적인 자기 대화와 감정 조절 기술을 익히면 마음을 효과적으로 다룰 수 있다.

- 건강한 세포

건강한 세포는 마음의 안정과 밀접한 관련이 있다. 균형 잡힌 식단, 규칙적인 운동, 충분한 수면은 세포의 활력을 높여 마인드의 건강에 도움을 준다. 또한 스트레스를 줄이고 면역력을 높이는 것도 세포와 마인드의 관리에 있어서는 기초공사이다.

- **균형잡기**

세포와 마인드의 균형을 잡는 기술은 전체적인 Well-Being을 위해 필수이다. 일상에서 스트레스와 피로를 관리하고, 규칙적인 습관을 들이며, 자신을 돌보는 시간을 가지는 것이 중요하다. 이를 통해 세포와 마음이 조화롭게 기능할 수 있다.

이때 저는 감정을 활용한다. 감정의 밥을 짓는 과정(감정을 소화시키는 기술)의 커리큘럼을 소개하고 좀 더 세포와 감정의 힘으로 균형잡기하는 것을 안내한다.

감정의 밥을 짓는 것은 세포에게 제대로 된 행동을 하게끔 요구한다. 인생을 살아가면서, 삶을 엮어가면서 마음에 평안함이 깃든 자유가 흐르도록 세포에게 제안하는 것이다. 이것은 행동을 개선하는 미묘함을 짜릿한 감정으로 느끼게끔 한다. 그러고는 심호흡하고 감정의 밥을 짓는 것이다. 이렇게 하는 것은 세포와의 균형을 잡아가는 것을 의미한다. 그리고 그 행복한 자유를 옆 사람과 나누는 일이 삶이라고 말할 수 있을 것이다.

세포인문학으로 틀을 깨다

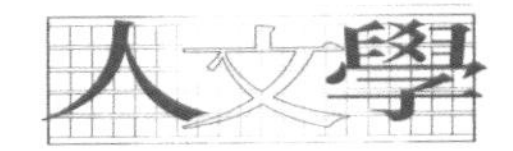

우리는 종종 세포를 단순히 기계적인 존재로 여기지만, 실제로 세포는 복잡한 내면세계를 가지고 있다. 그들은 자기 행동을 인식하고, 선택할 수 있으며, 삶의 목적을 추구한다. 세포가 보여주는 이러한 능력들은 우리에게 중요한 교훈을 줄 수 있다. 우리는 세포가 주는 삶의 의미에서 자신 삶의 의미를 발견할 수 있는 것이다. 이미 양자 물리학은 마음과 세포 간의 깊은 연결고리를 밝혀주고 있다. 기존 과학에서는 마음과 육체를 분리된 것을 보았지만, 양자론적 관점에서 보면 우리의 의식과 물질세계가 실제로는 깊이 얽혀 있다는 것을 알 수 있다. 양자 얽힘 현상은 정신과 물질 사이의 상호작용을 설명할 수 있는 새로운 틀을 제공한다. 나아가 최근 연구에 따르면 세포 내부의 양자 효과가 직관적 통찰력에도 관여한다는 것으로 나타났다. 즉 우리의 의식이 양자 차원에서 세포와 깊이 연결되어 있다는 것이다.

이 부분은 세포, 마인드, 무의식 분야는 서로 긴밀히 연결되어 있어서 통합적으로 이해되어야 한다. 이러한 관계를 설명하는 통합 모델은 다음과 같다.

1. **세포는 마음의 물리적 기반이 된다.** 신경세포는 정보를 전달하고 처리하며, 호르몬 등의 화학 물질을 통해 마음과 신체를 연결한다.

2. **마음은 세포의 기능과 활동에 영향을 미친다.** 긍정적이고 고양된 마음가짐은 세포의 항상성과 활성화를 증진하며, 부정적이고 스트레스 받는 마음은 세포에 해롭게 작용한다.

3. **무의식은 세포와 마음의 상호작용을 조절하는 근원적인 요인이다.** 무의식의 오래된 기억, 트라우마, 신념 등은 세포와 마음의 작용에 깊이 개입하여 행동 패턴을 결정한다.

4. **이 세 요소는 상호 영향을 주고받으며, 실시간으로 반응하고 변화한다.** 따라서 세포-마인드-무의식의 통합적 관점에서 인간의 건강과 질병, 행동과 변화를 이해할 수 있다. 게다가 세포에서 보이는 경제와 자원 배분의 양상은 인간 사회와 매우 유사하다. 세포 내에서는 다양한 유기체들이 필요한 자원을 경쟁적으로 확보하고 효율적으로 배분하기 위해 노력한다. 핵, 미토콘드리아, 리보솜 등 세포 소기관들은 마치 기업이나 정부와 같은 역할을 하며, 각자의 이익을 극대화하기 위해 서로 협력하고 때로는 갈등하기도 한다. 흥미롭게도 세포 내에서는 자원이 필요한 곳에 효과적으로 전송되고, 과잉 자원은 저장되거나 재활용되는 등 자원 배분이 매우 정교하다. 이러한 세포 내 자원 관리 전략에서 인간 사회의 경제학, 정책학, 행정학 등에 교훈을 줄 수 있다.

세포는 눈에 보이지 않는 미세한 생명체이지만, 그 내부에서는 숨 막힐 만큼 아름다운 풍경이 펼쳐지고 있다. 세포 내부의 정교한 구조, 생동감 넘치는 화학반응, 끊임없는 에너지 순환 등은 마치 예술가와 같다. 현미경으로 들여다본 세포의 세계는 마치 추상적인 예술과 같다. 심지어 경이로움과 경외심까지 불러일으킨다. 수십 조개의 세포가 유기적으로 연결되어 아름답고 조화롭게 우리 몸을 이루고 있다. 항상성을 잃지 않고 균형을 유지하며 살아가는 세포들의 모습은 마치 예술가의 손길로 만들어진 듯하다. 이러한 세포의 아름다움과 조화로움은 많은 사람에게 영감을 줄 수 있다. 이같이 세포의 세계는 교육학, 심리학, 경제학, 문학, 예술에 이르기까지 인간이 추구하는 모든 것이 담겨 있다.

지금까지 세포라는 아주 작은 생명체가 살아가는 행태는 현실판에서 이루어지는 인간의 행태와 너무도 닮아있다는 것을 알 수 있었다. 이것이 의미하는 것은 무엇일까요? 세포가 인간의 현실판을 따라서 행동하는 것일까요? 아니면 지금 인간의 삶의 행태가 세포를 따라 하는 것일까요? 어쩌면 지금 우리가 안다고 하는 것이 진짜가 아닐 수도 있다. 아직 모르는 미지의 세계가 우리가 안다고 하는 세계보다 훨씬 더 넓다. 마치 우주를 모르는 것만큼 우리는 모르는 것이 더 많다. 인간을 이해하고 그 본질을 알고자 한다면 패턴을 다루는 과학적인 방법도 도움이 된다.

그래서 세포 인문학은 생명체의 근본적인 구성단위인 세포에 대한 인문학적 통찰을 제공함으로 인간과 자연의 관계를 새롭게 바라볼 수도 있게 해준다. 세포는 단순한 생물학적 기계가 아니라 의미와 목적을 가지고 살아가는 존재이다. 세포인문학은 우리에게 세포의 무의식적 행동, 의사결정 과정, 커뮤니케이션 방식, 창의성과 혁신 등을 이해하게 함으로써 생명체 전체에 대한 깊이 있는 통찰을 제공한다.

특히 세포인문학은 세포의 진화와 적응, 생존 전략, 역할과 책임, 환경과의 상호작용 등을 통해 생명체의 본질과 우리 자신의 모습을 성찰할 수 있게 한. 이를 통해 우리는 세포의 딜레마뿐만 아니라 사회적 영향력, 리더십 특성, 조직 문화 등을 이해함으로 현실 사회에서도 적용할 수 있도록 도움을 줄 수 있다.

세포는 오랜 진화의 과정을 거치며 끊임없이 변화하고 혁신해 왔다. 수십억 년 동안 끊임없이 적응하며 다양한 환경에서 생존하고 번성해 온 세포는 놀라운 창의성과 혁신 능력을 보여왔다. 세포는 새로운 환경에 직면할 때마다 기존의 구조와 기능을 변형하거나 새로운 해결책을 창출해 왔다. 이 과정에서 세포는 오류를 최소화하고 자기복제와 자기 치유 능력을 발전시켜 왔다. 이처럼 세포의 놀라운 진화와 혁신은 생명체 진화의 기본 토대가 되었다. 우리는 세포의 이러한 능력으로부터 새로운 아이디어와 통찰력을 얻을 수 있으며, 이는 인간 사회의 혁신과 발전에도 시사하는 바가 크다고 할 수 있다.

이제는 인문학의 틀을 좀 더 과감하게 깨부수어서 인간 본질적인 통합이 이루어졌으면 하는 바람에서 이글을 마친다.

무엇인가를 깨달은 그 순간부터는 저는 세포의 힘이 어떤 기적을 만드는지 많은 사람에게 알리고 싶은 사람이 되고 싶다.

그 길을 위해 오늘 밤도 세포와 대화하며 내일의 문을 열기 위해, 하루의 문을 조용히 닫는다.

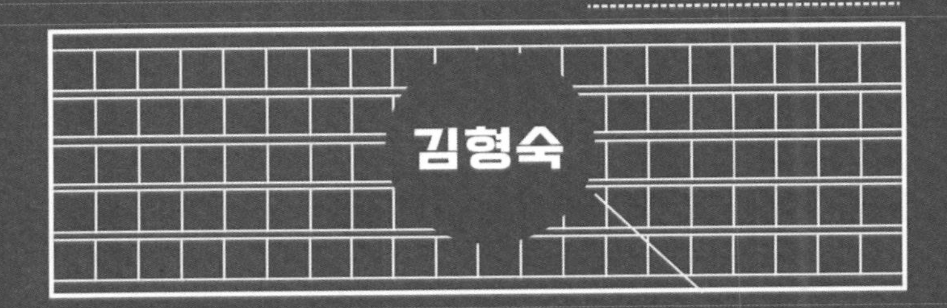

ksuki2024@naver.com

십시일강연구소 대표
한국십시일강예술교육협회 대표
평생교육사
NCS 고용노동부 강사
베스트힐링낭독지도사
동화구연지도사
전자출판기능사
출판지도사
멀티미디어콘텐츠제작전문가
사회복지사
저서 「김형숙의 낭독시대」
「어머니의 뜨락」
「나를 찾아가는 낭독여행」
「성공을 부르는 마법의 주문」
「낭독감정일기」
「후쿠오카 개꿀팁 여행」 외 다수

007

목소리로 만나는 인문학

낭독으로 삶을 변화시키는 법

낭독은 단순한 읽기를 넘어, 개인의 성장을 촉진하고 공동체의 유대감을 강화하며, 삶에 깊이 있는 통찰을 제공하는 강력한 도구이다. -김형숙, 목소리 인문학 강사-

나는 '목소리로 만나는 인문학' 강사다!

인문학은 우리의 삶을 풍요롭게 만드는 지식의 보고다. 그러나 많은 사람에게 여전히 어렵고 멀게만 느껴진다. 나는 이러한 틈새를 메우고자 '목소리로 만나는 인문학'이라는 독특한 접근법을 개발했다. 낭독을 통해 인문학을 쉽고 재미있게 접할 수 있도록 돕는 것이 나의 사명이다.

내가 개발한 '목소리로 만나는 인문학' 프로그램은 단순한 책 읽기를 넘어선다. 이는 목소리를 통해 텍스트에 생명을 불어넣고, 그 과정에서 자신과 타인을 더 깊이 이해하는 법을 가르치는 종합적인 접근법이다. 이 프로그램은 개인의 성장, 관계 개선, 직장 내 커뮤니케이션 향상 등 다양한 영역에서 변화를 끌어내는 강력한 도구로 자리 잡았다.

나의 강의는 크게 세 가지 영역으로 구성된다.

첫째, '낭독, 인문학의 새로운 문을 열다'에서는 낭독이 어떻게 인문학적 통찰을 더 깊이 있게 만드는지 탐구한다. 여기서는 낭독의 역사와 그 중요성, 그리고 현대 사회에서 낭독이 갖는 의미에 대해 깊이 있게 다룬다. 고대 그리스의 구전 전통부터 현대의 오디오북까지, 소리로 전해지는 지식의 힘을 역사적 맥락에서 살펴본다.

둘째, '낭독으로 변화하는 일상과 업무'에서는 낭독을 일상생활과 직장에서 어떻게 활용할 수 있는지 실제적인 방법을 제시한다. 가령, 아침 식사 시간에 가족과 함께 짧은 시를 낭독하는 습관이 어떻게 가족 관계를 개선할 수 있는지, 또는 회의 시작 전 5분간의 낭독이 어떻게 팀의 창의성과 집중력을 높일 수 있는지 등 구체적인 사례와 방법을 소개한다.

마지막으로 '낭독의 기술, 인문학적 통찰의 실천'에서는 효과적인 낭독 기법과 이를 통한 인문학적 성찰의 방법을 가르친다. 여기서는 호흡법, 발성법, 문장의 리듬과 강약 조절 등 기술적인 부분부터 시작해, 텍스트의 깊은 의미를 파악하고 이를 청중에게 효과적으로 전달하는 방법까지 다룬다. 특히 장르별 낭독 기법(시, 소설, 철학서 등)을 상세히 다루어 다양한 텍스트에 대응할 수 있는 능력을 키운다.

내 강의의 특징은 '실천'에 있다. 단순히 이론을 전달하는 것이 아니라, 참가자들이 직접 낭독을 체험하고 그 효과를 몸소 느낄 수 있도록 구성했다. 예를 들어, 플라톤의 '국가'를 낭독하며 정의를 주제로 토론하거나, 셰익스피어의 소네트를 낭독하며 사랑의 본질에 대해 생각해 보는 시간을 가진다. 또한, 현대 문학 작품을 낭독하며 우리 시대의 문제에 대해 깊이 있는 대화를 나누기도 한다. 이를 통해 참가자들은 인문학이 결코 어렵거나 멀리 있는 것이 아니라, 우리의 일상과 밀접하게 연결되어 있음을 깨닫게 된다.

나의 강의는 개인뿐만 아니라 기업에서도 큰 호응을 얻고 있다. 직장 내 커뮤니케이션 향상, 창의성 증진, 스트레스 관리 등 다양한 목적으로 기업들이 내 프로그램을 도입하고 있다. 특히, 리더십 개발 프로그램의 하나로 '목소리로 만나는 인문학'을 활용하는 기업들이 늘어나고 있다. 위대한 연설문을 낭독하며 리더십의 본질을 배우고, 문학 작품을 통해 감성 리더십을 개발하는 등의 방식이 큰 효과를 보고 있다.

나의 강의가 가진 또 다른 강점은 '공동체 형성'이다. 함께 낭독하고 토론하는 과정에서 참가자들 사이에 자연스럽게 유대감이 형성된다. 이는 가족 관계 개선, 직장 내 팀워크 강화 등으로 이어진다. 실제로 내 강의를 통해 가족 간의 소통이 개선되었다는 후기, 팀의 협업 능력이 향상되었다는 피드백을 자주 받고 있다.

한 참가자는 "매일 아침 아이들과 함께 짧은 시를 낭독하기 시작한 후, 가족 간의 대화가 더 풍부해지고 깊어졌다"라고 전했다. 또 다른 참가자는 "팀 회의 시작 전 5분간 함께 책을 낭독하는 시간을 가진 후, 팀원들의 집중력과 참여도가 눈에 띄게 향상되었다"라고 보고했다. 이러한 사례들은 낭독이 단순한 독서 활동을 넘어 관계 개선과 조직 문화 혁신의 도구가 될 수 있음을 보여준다.

'목소리로 만나는 인문학' 강사로서 나의 궁극적인 목표는 인문학을 통한 개인과 사회의 성장이다. 낭독이라는 매개체를 통해 인문학을 쉽고 재미있게 접근할 수 있게 함으로써, 더 많은 사람이 인문학의 혜택을 누릴 수 있기를 바란다. 인문학적 소양은 우리가 더 나은 삶을 살고, 더 나은 사회를 만드는 데 필수적인 요소이기 때문이다.

이를 위해 나는 지속해서 새로운 프로그램을 개발하고 있다. 디지털 기술을 활용한 '온라인 낭독 커뮤니티' 플랫폼을 구축했다. 이 플랫폼을 통해 참가자들은 시간과 장소에 구애받지 않고 함께 낭독하고 토론할 수 있다. 또한, AI 기술을 활용하여 개인별 맞춤형 낭독 교육 프로그램을 개발 중이다. 이를 통해 각 개인의 목소리 특성과 관심사에 맞는 최적의 낭독 교육을 제공할 수 있을 것으로 기대한다.

앞으로도 나는 '목소리로 만나는 인문학'을 통해 더 많은 사람의 삶을 풍요롭게 만들고자 한다. 낭독의 힘을 통해 개인의 성장을 돕고, 관계를 개선하며, 사회의 변화를 끌어내는 데 이바지할 것이다.

인문학은 결코 어렵거나 멀리 있는 것이 아니라, 우리의 일상에서 살아 숨 쉬는 것임을 더 많은 사람이 깨닫도록 돕겠다. '목소리로 만나는 인문학'은 단순한 강의가 아닌, 삶을 변화시키는 강력한 도구가 될 것이다. 이를 통해 우리 사회가 더욱 풍요롭고 지혜로워지기를 희망한다.

목소리로 떠나는 세계 인문학 여행

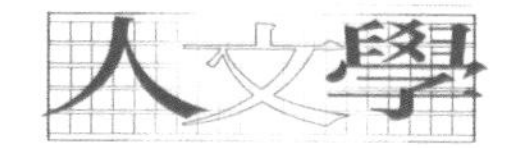

인문학은 인간의 삶과 경험을 탐구하는 학문으로, 우리의 일상과 깊이 연결되어 있다. 그러나 많은 사람에게 인문학은 여전히 어렵고 멀게만 느껴진다. 나는 이러한 틈새를 메우고자 '목소리로 떠나는 세계 인문학 여행'이라는 독특한 접근법을 개발했다. 이 프로그램은 낭독을 통해 세계 각지의 인문학적 지혜를 쉽고 재미있게 접할 수 있도록 돕는 것을 목표로 하고 있다.

'목소리로 떠나는 세계 인문학 여행'은 단순한 책 읽기를 넘어선다. 이는 목소리를 통해 텍스트에 생명을 불어넣고, 그 과정에서 자신과 타인을 더 깊이 이해하는 법을 가르치는 종합적인 접근법이다. 이 프로그램은 개인의 성장, 관계 개선, 직장 내 커뮤니케이션 향상 등 다양한 영역에서 변화를 끌어내는 강력한 도구로 자리 잡았다.

특히, 낭독을 통해 우리는 단순히 텍스트를 이해하는 것을 넘어, 그 안에 담긴 감정과 의미를 더욱 깊이 있게 체험할 수 있다.

목소리로 만나는 인문학 강의 커리큘럼의 예시는 다음과 같다.

낭독의 힘 텍스트에 생명을 불어넣기

호흡과 발성 올바른 낭독을 위한 기초 기술

문장의 리듬과 강약 조절하기

감정을 전달하는 낭독 기술

장르별 낭독 접근법 시, 소설, 철학

낭독을 통한 자기 계발

가족과 함께하는 낭독 시간

직장에서의 낭독 활용법

프레젠테이션 능력 향상을 위한 낭독 훈련

위대한 연설문 낭독으로 배우는 리더십

낭독과 명상의 결합 마음의 평화 찾기

스토리텔링 능력 향상을 위한 낭독 기법

감성 리더십 개발을 위한 문학 작품 낭독

어린이를 위한 낭독 - 창의력과 상상력 키우기

청소년을 위한 낭독 - 자기 이해와 성장

낭독을 통한 언어 능력 향상

낭독과 사회적 연결 - 커뮤니티 형성하기

역사적 텍스트 낭독 - 과거와의 대화

낭독을 통한 창의적 글쓰기

낭독과 건강 - 치유와 회복의 힘

이 강의는 단순히 텍스트를 낭독하는 것을 넘어서, 낭독을 통해 우리의 사고를 확장하고, 감정과 생각을 깊이 있게 경험할 수 있도록 도와준다. 예를 들어, 호흡과 발성 기술을 통해 우리는 더욱 명확하고 강력하게 소통할 수 있으며, 이는 직장 내 커뮤니케이션에도 큰 도움이 된다. 또한, 감정을 전달하는 낭독 기술을 통해 우리는 다른 사람들과의 관계를 더욱 깊이 있게 발전시킬 수 있다.

특히, 기업체에서 강의는 큰 호응을 얻고 있다. 직장에서의 낭독 활용법과 프레젠테이션 능력 향상을 위한 낭독 훈련은 많은 직장인들에게 실질적인 도움을 주고 있다. 위대한 연설문 낭독을 통해 리더십을 배우는 과정은 조직의 리더들에게 큰 인사이트를 제공한다. 낭독을 통해 직원들은 더 나은 커뮤니케이션 능력을 갖추게 되고, 이는 조직 전체의 효율성과 협업 능력을 향상하는데 이바지한다.

나는 '목소리로 떠나는 세계 인문학 여행' 강사로서, 낭독을 통해 개인과 조직의 성장을 돕고 있다. 낭독은 단순한 읽기 활동을 넘어, 우리의 일상과 업무에 긍정적인 변화를 불러올 수 있는 강력한 도구이다. 앞으로도 나는 낭독을 통해 더 많은 사람이 자기 잠재력을 발견하고, 풍요로운 삶을 영위할 수 있도록 돕겠다. 낭독은 우리의 일상과 업무, 그리고 삶 전체를 변화시키는 강력한 도구이며, 이를 통해 우리는 더 나은 버전의 자신을 만들어갈 수 있을 것이다. 목소리 인문학 강사로서, 나는 이 여정을 함께하며 각 개인과 조직의 성장을 지원할 것이다.

나는 앞으로도 다양한 기업체와 협력하여 더 많은 사람이 낭독의 힘을 경험할 수 있도록 할 것이다. 또한, 개인의 성장뿐만 아니라 조직의 성장에도 크게 이바지할 수 있는 프로그램을 지속해서 개발하고 발전시킬 것이다. '목소리로 떠나는 세계 인문학 여행'은 단순한 강의가 아니라, 모든 참여자에게 새로운 시각과 깊은 통찰을 제공하는 귀중한 경험이 될 것이다.

나는 강의하며 살기로 했다

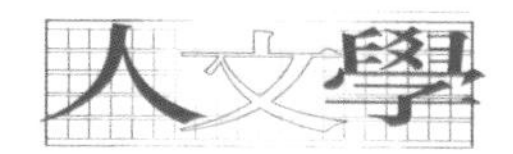

인생의 갈림길에서 나는 큰 결심을 했다. 바로 목소리인문학 강사로 살아가기로 한 것이다. 이 결정은 단순한 직업 선택이 아닌, 나의 열정과 사명을 찾는 여정의 결과였다. 서재균 교수의 인문학 강의를 들으며 인문학에 매료되었다. 그 깊이 있는 지식에 놀라 감탄했다. 나도 다른 이들과 나누고 싶다는 열망이 내 안에서 자라났다. 그러던 중 우연히 접한 낭독의 힘에 큰 감명을 받았고, 이를 통해 인문학을 더욱 생생하게 전달할 수 있다는 확신을 갖게 되었다.

목소리인문학 강사로서 나의 첫걸음은 쉽지 않았다. 처음에는 몇몇 지인들을 대상으로 소규모 낭독 모임을 시작했다. 쉽게 읽을 수 있는 자기 계발서부터 에세이까지 다양한 텍스트를 함께 낭독하며 토론했다.

이 과정에서 나는 놀라운 사실을 발견했다. 텍스트를 소리내어 읽을 때, 참가자들의 이해도가 눈에 띄게 향상되었고, 더 깊이 있는 토론이 가능해졌다. 또한, 낭독을 통해 텍스트의 감정과 뉘앙스를 더욱 생생하게 전달할 수 있었다.

이러한 경험을 바탕으로 나는 '목소리로 만나는 인문학' 프로그램을 개발했다. 이 프로그램은 단순한 낭독을 넘어, 인문학적 통찰을 일상에 적용하는 방법을 가르치는 종합적인 접근법이다. 공자의 '논어'를 낭독하며 현대 사회에서의 인간관계와 윤리를 주제로 토론한다.

대기업에서는 위대한 지도자들의 연설문과 철학서를 낭독하고 토론한다. 참가자들은 리더십의 본질에 대해 깊이 있게 성찰할 수 있다. 학교에서는 청소년들의 인성 교육과 독서 능력 향상을 위해 프로그램을 활용한다. 학생들은 문학 작품을 낭독하며 감성을 키우고, 철학 텍스트를 통해 비판적 사고력을 향상한다. 최근 뚝섬교회에서 인문학 특강을 하고 큰 호응을 받았다.

목소리인문학 강사로서 가장 보람찬 순간은 참가자들의 변화를 목격할 때이다. 한 참가자는 "낭독을 통해 처음으로 철학이 내 삶과 밀접하게 연결되어 있다는 것을 깨달았다"라고 말했다. 또 다른 참가자는 "매일 아침 가족과 함께 짧은 글을 낭독하기 시작한 후, 우리 가족의 대화가 더욱 풍성해졌다"라고 전했다. "소리내어 책을 읽은 후 우울증이 사라지고 집중력과 호기심이 많아졌다."라고 했다. 이러한 피드백은 내가 올바른 길을 가고 있다는 확신을 해주었다.

낭독을 통한 인문학 학습이 참가자들의 언어 능력, 공감 능력, 비판적 사고력을 향상한다는 것을 입증할 수 있었다. 앞으로의 계획은 더욱 큰 꿈을 향해 나아가는 것이다. 첫째, 온라인 플랫폼을 구축하여 더 많은 사람이 '목소리로 만나는 인문학'을 경험할 수 있도록 할 것이다. 둘째, 다양한 언어로 프로그램을 확장하여 전 세계의 인문학적 지혜를 공유하고자 한다. 셋째, 인공지능 기술을 활용하여 개인 맞춤형 낭독 학습 프로그램을 개발할 계획이다.

나는 목소리인문학 강사로서의 삶에 깊은 만족과 보람을 느낀다. 이 길은 단순한 직업이 아닌, 나의 열정과 사명이 만나는 지점이다. 앞으로도 나는 낭독을 통해 인문학에 깊이 있는 지혜를 더 많은 사람과 나누고, 그들의 삶에 긍정적인 변화를 가져다주는 데 이바지할 것이다. 목소리 인문학 강사로서의 여정은 끝없는 배움과 성장의 과정이며, 이를 통해 나 자신도 더욱 성숙한 인간으로 발전해 나갈 수 있을 것이다. 인문학의 가치가 점점 더 중요해지는 현대 사회에서, 나의 역할은 더욱 의미 있고 필요한 것이 될 것이다.

목소리인문학 강사로서 나는 다양한 분야에서 활동하고 있다. 기업 교육, 학교 교육, 그리고 개인 코칭 등 다양한 형태로 프로그램을 제공하고 있다. 기업 교육에서는 주로 리더십 개발과 팀 강화를 중점적으로 다루며, 학교 교육에서는 학생들의 인성 교육과 독서 능력 향상을 목표로 한다. 개인 코칭에서는 각 개인의 목표와 필요에 맞춘 맞춤형 프로그램을 제공하여, 그들이 자기 잠재력을 최대한 발휘할 수 있도록 돕는다.

나는 목소리인문학 강사로서의 삶에 깊은 만족과 보람을 느낀다. 이 길은 단순한 직업이 아닌, 나의 열정과 사명이 만나는 지점이다. 앞으로도 나는 낭독을 통해 인문학에 깊이 있는 지혜를 더 많은 사람과 나누고, 그들의 삶에 긍정적인 변화를 가져다주는 데 이바지할 것이다.

목소리인문학 강사로서의 여정은 끝없는 배움과 성장의 과정이며, 이를 통해 나 자신도 더욱 성숙한 인간으로 발전해 나갈 수 있을 것이다. 인문학의 가치가 점점 더 중요해지는 현대 사회에서, 나의 역할은 더욱 의미 있고 필요한 것이 될 것이다.

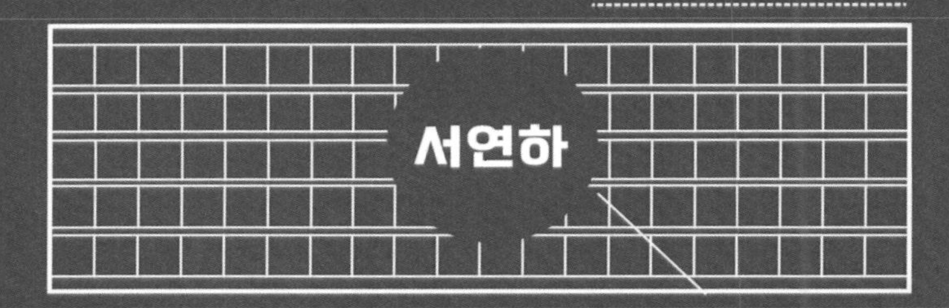

cmo@kcbooks.org

하모니웰니스 대표
맛깔나는 미식인문학 강사
출판지도사협회부회장
KCN 사업부 국장
치유산업경영학 석사
법무부 소년보호위원
출판지도사
평생교육사
성북50플러스센터 등
100 회 이상 강의
저서 「세상을 바꾸는 퍼스널 브랜딩」
「우리는 강사다」
「웰니스 인문학」
「여행작가 되기 참 쉽다」외 15권

008

맛깔나는 인문학 밥상

음식은 인류 역사의 가장 원초적인 예술이다. -장 앙텔므 브리야 사바랭-

맛깔나는 미식인문학강의

MiSiK_NO1

서연하지음

침 꼴깍, 역사 속 미식가들의 밥상

나는 음식을 통해 인문학적 사고를 확장하고 삶의 풍요를 더하는 경험을 선사하는 미식 전문 인문학 강사다. 단순히 맛있는 음식을 즐기는 것을 넘어, 음식에 담긴 역사, 문화, 철학 이야기를 통해 인문학적 통찰력을 키우고 세상을 보는 새로운 시각을 얻을 수 있도록 도울 것이다. 이제부터 눈을 감고 온몸의 세포들에 집중하며 상상 속으로 들어가 보자.

1. 네안데르탈인의 불맛, 최초의 바비큐 파티는 어땠을까?

"딱! 딱!“

거칠게 부딪히는 부싯돌 소리와 함께, 겨우 피어오른 불꽃은 칠흑 같은 어둠을 밝히는 작은 횃불이 된다. 험악한 빙하기의 추위 속, 네안데르탈인들은 옹기종기 모여 불가에 손을 녹인다. 그들의 손에는 갓 잡은 매머드 고기가 들려 있다. 불에 그을린 고기 냄새가 동굴 안을 가득 채우고, 꼬르륵거리는 배꼽시계는 흥분을 감추지 못한다.

"치익!"

불 위에 올려진 고기에서 기름이 떨어지며 솟아오르는 불꽃은 원시적인 쾌감을 선사한다. 겉은 바삭하고 속은 촉촉한, 인류 최초의 바비큐가 탄생하는 순간이다. 네안데르탈인들의 바비큐 파티는 단순히 배를 채우는 행위를 넘어, 공동체의 결속을 다지는 중요한 의식이었다. 함께 사냥하고, 함께 불을 피우고, 함께 음식을 나누는 과정에서 그들은 서로에게 의지하며 혹독한 환경을 극복해 나갔다.

2. 클레오파트라가 즐겨 먹은 포도주 절임 생선 요리의 비밀

"톡! 톡!”

포도 알갱이가 터지는 소리와 함께, 짙은 자줏빛 포도주가 항아리 속으로 흘러 들어간다. 그 안에는 싱싱한 생선이 가지런히 누워 있다. 이집트 여왕 클레오파트라가 사랑한 '포도주 절임 생선'이 만들어지는 과정이다.

포도주는 단순한 술이 아니라, 생선의 비린내를 잡아주고 풍미를 더하는 마법의 재료였다. 또한, 포도주에 함유된 산은 생선의 부패를 막아주는 천연 방부제 역할을 했다. 클레오파트라는 이 요리를 통해 미각적인 즐거움뿐 아니라, 건강까지 챙기는 지혜를 보여주었다.

3. 베르사유 궁전 만찬에 숨겨진 화려함과 권력의 맛

"땡! 땡! 땡!“

화려한 은 식기들이 부딪치는 소리와 함께, 베르사유 궁전의 만찬이 시작된다. 길게 늘어선 테이블 위에는 갖가지 진미들이 펼쳐져 있다. 눈으로 보기에도 아까운 화려한 요리들은 단순한 음식이 아니라, 왕권의 위엄과 부를 과시하는 수단이었다.

루이 14세는 만찬을 통해 귀족들을 자신의 권력 아래 복종시키고, 외국 사신들에게 프랑스의 힘을 과시했다. 만찬은 단순히 음식을 먹는 자리가 아니라, 정치적이고 사회적인 의미를 담은 권력의 장이었다.

이처럼 역사 속 미식가들의 밥상은 단순히 음식을 먹는 행위를 넘어, 그 시대의 문화와 사회상을 반영하는 거울이었다. 그들의 밥상을 통해 우리는 인류의 역사와 함께 진화해 온 음식 문화의 다채로운 면모를 엿볼 수 있다.

침샘 폭발, 문학 속 음식의 향연

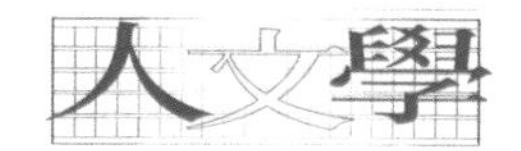

1. 헤밍웨이가 사랑한 모히토 한 잔에 담긴 삶의 희로애락

"달콤쌉싸름한 라임 향이 코끝을 스치고, 톡 쏘는 민트 잎이 혀끝을 깨운다."

헤밍웨이가 쿠바의 뜨거운 태양 아래서 즐겨 마시던 모히토 한 잔에는 그의 삶의 희로애락이 고스란히 담겨 있다. 럼의 강렬함은 젊은 시절 전쟁터를 누비던 그의 모험심을, 라임의 상큼함은 쿠바에서 느낀 삶의 활력을, 민트의 청량함은 끊임없이 새로운 이야기를 갈망하던 그의 열정을 나타낸다.

모히토는 헤밍웨이에게 단순한 술이 아니라, 삶의 고단함을 잊게 해주는 위로이자, 창작의 영감을 불러일으키는 원동력이었다. 그의 작품 속에 등장하는 모히토는 독자들에게 낭만적인 쿠바의 풍경과 함께, 삶의 다양한 감정을 선사한다.

2. 이상의 '날개' 속 붕어빵, 가난한 예술가의 꿈과 희망

"차가운 겨울밤, 붕어빵의 따스함은 몸뿐만 아니라 마음까지 녹여준다."

이상의 소설 '날개'에 등장하는 붕어빵은 가난한 예술가의 꿈과 희망을 상징한다. 붕어빵의 겉은 바삭하지만 속은 촉촉하고 달콤한 팥으로 가득 차 있다. 이는 겉으로는 초라해 보이는 예술가의 삶 속에 숨겨진 뜨거운 열정과 예술적 감수성을 의미한다.

붕어빵은 값싼 길거리 음식이지만, 주인공에게는 따뜻한 위로와 희망을 주는 소중한 존재다. 붕어빵을 먹으며 그는 현실의 어려움을 잠시 잊고, 예술가로서의 꿈을 키워나갔다.

3. 영화 '기생충' 한우 짜파구리, 계급 갈등을 꼬아 만든 블랙 코미디

"짜파게티, 너구리와 한우 채끝살의 만남, 짜파구리는 한국 사회의 계급 갈등을 상징한다."

영화 '기생충'에 등장하는 짜파구리는 단순한 음식이 아니라, 한국 사회의 계급 갈등을 풍자하는 블랙 코미디의 소재다. 짜파게티와 너구리는 두 빈곤층 가족의 음식, 한우는 부자들의 음식을 상징하며, 이 셋을 섞어 세 음식이 한 접시에 담긴 모양새가 영화 속 세 가족이 한 집에 공존하는 모습과 같다. 계급 간의 경계를 넘나드는 주인공들의 욕망을 나타낸다.

짜파구리는 영화 속에서 단순한 음식을 넘어, 인물들의 심리와 사회적 메시지를 전달하는 중요한 역할을 한다. 관객들은 짜파구리를 통해 한국 사회의 어두운 단면을 마주하고, 계급 문제에 대해 깊은 생각을 하게 된다.

MOJITO
Ice cubes
Light rum
1 1/2 oz.(45ml)
Simple syrup
1oz.(30ml)
Mint leaves
Lime segmen
Soda water
2oz.(60ml)

음식으로 소통하고 공감하는 인문학적 교감

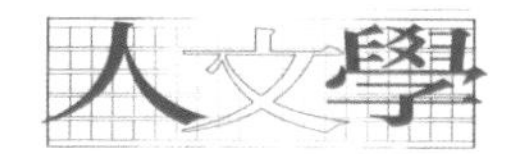

1. 공자의 논어, 인과 예를 담은 밥상 예절

"식사는 단순히 배를 채우는 행위가 아니라,
인간관계를 형성하고 사회 질서를 유지하는 중요한 의례입니다."

공자는 논어를 통해 밥상 예절의 중요성을 강조했다. 그는 식사 자리에서의 예의범절을 통해 인(仁)과 예(禮)를 실천하고, 사회 구성원 간의 조화로운 관계를 형성할 수 있다고 믿었다.

윗사람에게 먼저 수저를 권하고, 어른이 먼저 식사를 시작하기 전까지 기다리는 모습은 단순한 예절이 아니라, 상대방에 대한 존중과 배려를 나타내는 표현이다. 또한, 음식을 골고루 먹고 욕심내지 않는 모습은 절제와 겸손의 미덕을 보여준다.

공자의 밥상 예절은 단순히 옛것을 따르는 것이 아니라, 현대 사회에서도 여전히 유효한 가치를 지니고 있다. 식사 예절을 통해 우리는 서로를 존중하고 배려하는 마음을 배우며, 더불어 살아가는 사회의 중요성을 깨닫게 된다.

2. 에피쿠로스의 쾌락주의, 절제된 식사 속 진정한 행복

**"진정한 쾌락은 과도한 욕망을 절제하고,
소박한 식사에서 얻는 만족감에 있습니다."**

쾌락주의 철학자 에피쿠로스는 육체적인 쾌락을 긍정했지만, 과도한 욕망은 고통을 불러일으킨다고 경고했다. 그는 절제된 식사를 통해 건강을 유지하고, 맛있는 음식을 음미하는 즐거움을 누리는 것이 진정한 행복이라고 믿었다.

에피쿠로스는 값비싼 재료나 화려한 요리보다는, 신선한 제철 음식을 소박하게 조리하여 먹는 것을 선호했다. 그는 친구들과 함께 식사하며 철학적인 대화를 나누는 것을 즐겼고, 이러한 소박한 즐거움 속에서 삶의 의미를 찾았다.

3. 장자의 무위자연, 자연 그대로의 맛을 즐기는 지혜

"자연 그대로의 맛을 즐기는 것이야말로 진정한 미식입니다."

장자는 인위적인 것을 배제하고 자연의 순리에 따르는 무위자연(無爲自然) 사상을 강조했다. 그는 음식 역시 자연 그대로의 맛을 살려 먹는 것이 가장 좋다고 믿었다.

장자는 제철 음식을 즐겨 먹었고, 인공적인 조미료나 가공식품을 멀리했다. 그는 음식의 맛을 있는 그대로 느끼고, 자연의 풍요로움에 감사하는 마음을 가졌다. 장자의 무위자연 사상은 현대 사회의 인스턴트 음식 문화에 대한 반성을 촉구한다. 우리는 자연의 섭리를 거스르지 않고, 자연 그대로의 맛을 즐기는 지혜를 배워야 한다.

미식인문학 강의에는 음식을 매개로 역사, 문학, 철학, 예술 등 다양한 분야의 지식을 융합적으로 이해하여 인문학적 사고력을 향상하고 음식이 관련된 다양한 사례를 통해 창의적인 아이디어 발상이 가능하다. 또한, 음식을 나누며 소통하고 공감하는 경험을 통해 긍정적인 인간관계 형성으로 자연스럽게 소통하며 맛있는 음식 이야기를 통해 스트레스를 해소하고 정서적 안정감을 준다. 맛있는 음식에 대한 새로운 시각과 깊이 있는 이해를 통해 삶의 풍요로움 증진한다.

"음식은 단순한 끼니가 아니라, 우리 삶을 풍요롭게 만드는 예술이자, 이해하는 창입니다."

지금까지 함께 떠난 미식 인문학 여행은 어떠하였는가? 네안데르탈인의 불맛에서 시작해 베르사유 궁전의 화려한 만찬, 헤밍웨이의 모히토 한 잔, 이상의 붕어빵, 그리고 공자와 에피쿠로스의 밥상 철학까지. 음식을 통해 우리는 역사, 문학, 철학, 예술, 그리고 삶의 다양한 면모를 만나고 새로운 시각을 얻었다.

이제 배고플 때 배를 채우는 것을 넘어, 음식에 담긴 이야기와 의미를 음미하며 더욱 풍요로운 식탁을 즐길 수 있게 될 것이다. 음식을 통해 세상을 바라보는 눈이 넓어지고, 삶의 즐거움이 더욱 커졌기를 바란다.

조금은 생소한 미식인문학을 짧게나마 맛봄으로 삶에 작은 행복과 영감을 더했기를 바라며, 앞으로도 음식을 통해 세상과 소통하고 삶의 아름다움을 발견하는 즐거운 여정을 미식인문학 서연하 강사와 이어가도록 하자.

"맛있는 음식은 좋은 사람들과 함께 나눌 때 더욱 빛을 발한다."

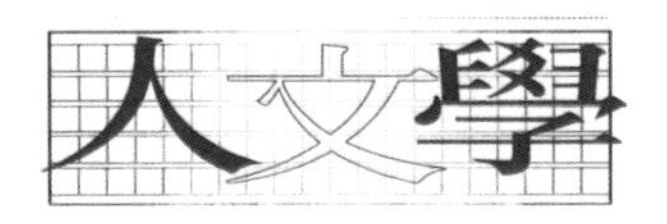
人文學

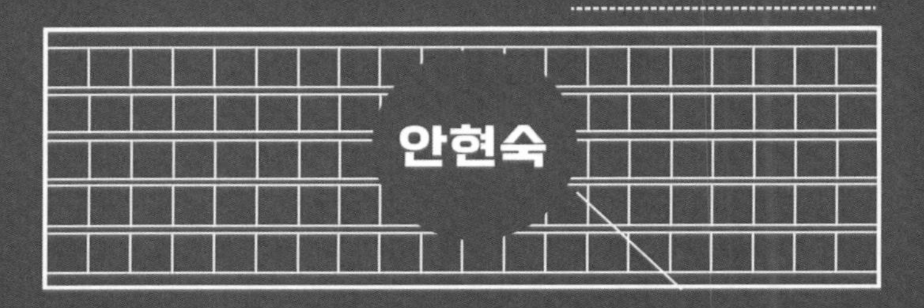

yeppys@daum.net

행복누리캠퍼스(연구소)대표
행복누리캠퍼스출판사 대표
전)전남도립대 겸임교수 역임
2023 코리아문화예술대상&
자랑스런한국인상
한국어교원,
사회복지사,
교육청 부모교육 전문강사
동기부여/자기계발강사
대한민국 기능장
한국어교원
사회복지사

009

두 거장 피카소와 고흐를 통해 본 소통

나는 내 안에 있는 것을 표현하고 싶다. 그것이 내 열정이다. -고흐-

미술 소통의 이해

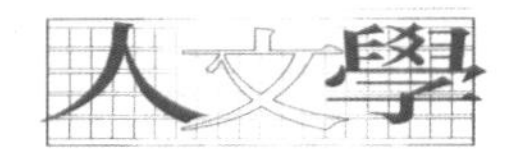

"예술은 우리를 진실에 도달하게 한다. 예술은 거짓말을 한다. 그러나 그 거짓말을 통해 우리는 진실을 이해하게 된다."

- 파블로 피카소

- 소통의 정의 및 중요성

소통은 우리가 서로를 이해하고 협력하는 데 필수적인 과정이다. 피카소는 "예술은 가장 순수한 형태인 인간의 표현이다"라고 말했다. 이는 미술이 인간의 감정과 생각을 가장 진솔하게 드러내는 소통의 도구라는 것을 뜻한다. 소통은 단순히 말로 이루어지는 것이 아니라, 다양한 방식으로 감정과 생각을 나누는 행위이다. 피카소와 고흐 같은 거장들은 그들의 작품을 통해 소통의 중요성을 강렬하게 우리에게 전달한다.

소통은 개인과 사회를 연결하는 중요한 요소이다. 원활한 소통이 이루어질 때, 우리는 서로의 생각과 감정을 이해하고 협력할 수 있다. 예를 들어, 피카소의 작품 '게르니카'는 스페인 내전의 참혹함과 인간의 고통을 강렬하게 표현한 작품으로, 전 세계에 평화의 메시지를 전달한다. 이 작품을 통해 우리는 피카소의 감정과 고민에 공감할 수 있다. 이러한 공감도 소통의 중요한 일환이다.

효과적인 소통은 사회적 연결성을 강화하고, 갈등 해결에 도움을 주며, 개인의 정신 건강을 향상시킨다. 존 페터슨 박사의 연구에 따르면, 소통은 이러한 역할을 한다(Peterson, J. B. (2015). "디지털 시대의 효과적인 소통", 사회 심리학 저널). 이러한 연구 결과는 우리가 왜 소통을 중요하게 생각해야 하는지를 잘 보여준다.

미술은 말로 표현할 수 없는 생각이나 감정을 전달하는 중요한 수단이다. 미술은 감정적인 경험을 공유하고, 사회적 이슈에 대한 인식을 높인다. 예를 들어, "The Fearless Girl" 조각상은 여성의 사회적 역할에 대한 논의를 촉진했다(Kim, M. (2017). "두려움 없는 소녀와 월스트리트의 황소: 시각적 커뮤니케이션에 관한 사례 연구", 시각 예술 연구).

미술과 소통이 긴밀히 연결되어 있음을 이해하고, 이를 바탕으로 우리의 감정과 생각을 표현하는 방법을 배우는 것이 중요하다.

미술을 통해 우리는 감정을 공유하고, 사회적 이슈를 탐구하며, 창조적인 방식으로 메시지를 전달하는 방법을 배운다. 이 과정에서 미술의 힘을 체감하고, 소통의 가치와 중요성을 이해하게 된다. 미술을 통해 훌륭한 미래를 개척해 나가는 미래의 셀프리더가 되기를 바란다.

소통의 정의와 중요성을 이해하고 나면, 미술을 통한 소통의 특징과 의미를 탐구할 필요가 있다. 미술은 인간의 복잡한 감정과 사고를 표현하고 타인에게 전달하는 독특하고 매력적인 수단이다. 언어와는 다른 차원에서의 소통으로, 그 매력을 이해하고 활용하면 새로운 세계를 열 수 있다.

미술 소통의 가장 큰 특징은 '상호작용성'이다. 미술 작품을 만드는 사람과 그 작품을 보는 사람 사이에는 깊은 상호작용이 이루어진다. 작품을 만드는 사람은 자신의 감정과 생각을 작품에 담아내며, 보는 사람은 그것을 통해 작가의 감정과 생각을 이해하려 노력한다. 그러면서 자신의 감정과 생각도 함께 공유하게 된다. 이러한 과정에서 사람들은 서로를 이해하고, 존중하며, 배우게 된다.

미술은 또한 '다양성'을 포용한다. 미술은 다양한 표현 방식을 제공하며, 이를 통해 다양한 문화와 사상, 가치관을 소통하는 데 탁월한 도구가 된다. 이에 따라 미술은 사람들이 서로 다른 배경과 경험을 가진 타인을 이해하고, 존중하고, 사랑하는 데 크게 기여한다.

미술을 통한 소통을 이해하고 활용하는 것은 자신을 표현하고, 타인을 이해하며, 세상을 바라보는 시각을 넓히는 데 매우 중요하다. 이를 통해 우리는 더 풍요로운 삶을 살아갈 수 있으며, 더욱 깊고 넓은 세상을 경험할 수 있다.

인생은 끊임없는 여정이며, 그 여정에서 가장 중요한 것은 '소통'이다. 소통은 우리가 타인과 연결되고, 서로를 이해하며, 함께 성장하는 데 필수적이다. 그리고 그 소통의 도구 중 하나가 바로 '미술'이다.

미술사학자 헨리 모어는 "미술은 소통의 가장 강력하고 아름다운 도구 중 하나이다. 그것은 우리의 내면을 드러내고, 타인과 깊은 연결을 만들며, 세상을 바라보는 새로운 시각을 열어준다"라고 말했다. 그의 말처럼, 미술은 우리가 세상에 대해 생각하고, 느끼고, 표현하는 데 아주 중요한 역할을 한다. 이 책을 통해, 우리는 미술을 통한 소통의 중요성과 가치를 깊이 이해하고, 이를 적극 활용하는 방법을 배울 것이다.

이제 우리는 미술을 통해 어떻게 소통할 수 있는지, 그 구체적인 방법과 사례를 통해 더욱 깊이 있게 탐구할 것이다. 피카소와 고흐의 작품을 통해 미술 소통의 실제적인 예를 살펴보며, 그들의 예술 세계를 이해하고, 나아가 우리의 소통 능력을 향상시킬 수 있다.

- 미술을 통한 소통의 특징 및 의미

미술은 소통의 강력한 도구이다. 미술은 인간의 복잡한 감정과 사고를 표현하고 타인에게 전달하는 독특하고 매력적인 수단이다. 언어와는 다른 차원에서의 소통으로, 그 매력을 이해하고 활용하면 새로운 세계를 열 수 있다. 이 장에서는 미술을 통한 소통의 특징과 의미를 깊이 이해하고, 이를 활용할 방법을 탐색해 볼 것이다.

미술은 일상적인 언어가 아닌 시각적인 표현을 중심으로 한다. 이는 그림, 조각, 사진, 영상 등 다양한 형태로 이루어진다. 이러한 미술적 표현은 감정, 생각, 경험, 사상 등을 직접적이면서도 간접적으로 전달한다. 미술 작품은 자기 내면을 드러내는 동시에, 관람자에게 감동과 영감을 준다. 이러한 점에서 미술은 강력한 소통 도구이다.

미술 소통의 가장 큰 특징은 '상호작용'을 한다는 점이다. 미술 작품을 만드는 사람과 그 작품을 보는 사람 사이에는 깊은 상호작용이 이루어진다. 작품을 만드는 사람은 자신의 감정과 생각을 작품에 담아내며, 보는 사람은 그것을 통해 작가의 감정과 생각을 이해하려 노력한다. 그러면서 자신의 감정과 생각도 함께 공유하게 된다. 이러한 과정에서 사람들은 서로를 이해하고, 존중하며, 배우게 된다.

미술은 또한 '다양성'을 포용한다. 미술은 다양한 표현 방식을 제공하며, 이를 통해 다양한 문화와 사상, 가치관을 소통하는 데 탁월한 도구가 된다. 이에 따라 미술은 사람들이 서로 다른 배경과 경험을 가진 타인을 이해하고, 존중하고, 사랑하는 데 크게 이바지 한다.

미술을 통한 소통을 이해하고 활용하는 것은 자신을 표현하고, 타인을 이해하며, 세상을 바라보는 시각을 넓히는 데 매우 중요하다. 이를 통해 우리는 더 풍요로운 삶을 살아갈 수 있으며, 더욱 깊고 넓은 세상을 경험할 수 있다. 두 거장을 통해 미술을 매개로 어떤 소통을 했는지 잠시 들여다보자.

피카소는 20세기 현대미술의 거장으로, 그의 작품은 형태의 왜곡과 강렬한 색채로 잘 알려져 있다. 피카소는 특히 그의 작품 '게르니카'를 통해 전쟁의 참혹함과 인간의 고통을 강렬히 표현한다. 이 작품은 스페인 내전 중 나치 독일이 게르니카 마을을 폭격한 사건에 대한 반응으로, 피카소는 이를 통해 전쟁의 잔인성을 비판하고 평화의 중요성을 강조한다.

반면 고흐는 그의 작품 '별이 빛나는 밤'을 통해 고독과 불안을, '해바라기'에서는 생명력과 희망을 표현한다. 고흐는 평생 정신적 고통과 싸우며, 자신의 깊은 감정을 예술로 승화시키고자 한다. 그의 작품들은 그의 내면 고통과 갈등을 예술적으로 승화시킨 결과물로, 많은 사람에게 깊은 감동을 준다.

인생은 끊임없이 긴 여정이며, 그 여정에서 가장 중요한 것은 '소통'이다. 소통은 우리가 타인과 연결되고, 서로를 이해하며, 함께 성장하는 데 필수적이다. 그리고 그 소통의 도구 중 하나가 바로 '미술'이다.

"미술은 소통의 가장 강력하고 아름다운 도구 중 하나이다. 그것은 우리의 내면을 드러내고, 타인과 깊은 연결을 만들며, 세상을 바라보는 새로운 시각을 열어준다." 이 말은 미술사학자 헨리 모어가 한 말이다. 그의 말처럼, 미술은 우리가 세상에 대해 생각하고, 느끼고, 표현하는 데 아주 중요한 역할을 한다. 이 책을 통해, 우리는 미술을 통한 소통의 중요성과 가치를 깊이 이해하고, 이를 적극 활용하는 방법을 배울 것이다.

미술을 통해 우리는 감정을 공유하고, 사회적 이슈를 탐구하며, 창조적인 방식으로 메시지를 전달하는 방법을 배운다. 이 과정에서 미술의 힘을 체감하고, 소통의 가치와 중요성을 이해하게 된다. 미술을 통해 훌륭한 미래를 개척해 나가는 미래의 셀프리더가 되기를 바란다.

두 예술가의 삶과 창작 배경

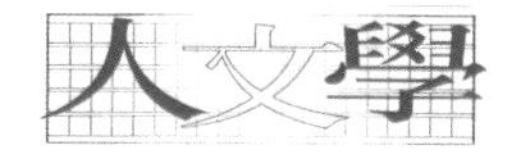

"예술은 우리의 영혼을 깨우고, 진실을 탐구하며, 세상을 바라보는 새로운 시각을 열어준다." - 알베르 카뮈

- 피카소의 일생과 그의 예술 세계

파블로 피카소는 1881년 스페인의 아름다운 도시 말라가에서 태어났다. 그는 어린 시절부터 예술적 재능을 보였고, 그의 아버지인 호세 루이스 블라스코는 피카소가 7살 때 처음으로 그림을 가르쳤다. 피카소는 예술계에서 빠르게 두각을 나타냈다. 20세기 현대미술을 대표하는 거장으로 성장한 그의 삶은 혁신과 도전의 연속이었다.

피카소는 초기에는 전통적인 기법을 사용한 작품들로 시작했다. 이후, 그는 점점 더 혁신적이고 독창적인 스타일로 전환했다. 그의 작품은 항상 사회적, 정치적 사건들에 깊은 관심을 가졌으며, 이를 그의 예술에 진솔하게 반영했다. 대표작 중 하나인 '게르니카'는 스페인 내전의 참혹함과 인간의 고통을 강렬하게 표현한 작품이다. 이 작품은 전 세계에 평화의 메시지를 전달하는 중요한 사회적 소통의 도구가 되었다.

피카소는 인물화와 초상화를 통해 인간의 다양한 감정을 탐구했다. 그의 작품 '아비뇽의 처녀들'은 당시 사회적 규범을 깨는 파격적인 작품으로, 여성의 본질과 사회적 역할에 대한 깊은 성찰을 담고 있다. 피카소는 예술을 통해 현실을 왜곡하고 재해석함으로써 더 깊은 진실을 탐구하고자 했다. 그의 작품들은 그의 예술적 성장과 변화를 잘 보여주며, 이는 그가 예술 세계에서 얼마나 중요한 위치를 차지하고 있는지를 잘 나타낸다.

피카소의 일생은 끊임없는 혁신과 도전의 연속이었다. 그는 끊임없이 새로운 기법과 스타일을 탐구하며, 예술을 통해 사회적 메시지를 전달하고자 했다. 피카소의 예술 세계는 그의 삶과 떼려야 뗄 수 없는 관계에 있다. 그는 예술을 통해 자신의 감정과 생각을 표현했으며, 이를 통해 사람들과 소통하고자 했다.

피카소는 예술을 통해 세상과 소통하는 방법을 끊임없이 탐구했다. 그는 자기 작품을 통해 사람들에게 감동을 주고, 사회적 메시지를 전달하고자 했다. 그의 예술은 단순히 아름다움을 추구하는 것이 아니라, 더 깊은 의미와 메시지를 담고 있다. 피카소의 예술 세계는 그의 삶과 예술적 여정을 잘 보여주며, 이는 그가 예술 세계에서 얼마나 중요한 위치를 차지하고 있는지를 잘 나타낸다.

피카소의 작품은 그의 예술적 성장과 변화를 잘 보여준다. 그는 끊임없이 새로운 기법과 스타일을 탐구하며, 예술을 통해 사회적 메시지를 전달하고자 했다. 피카소의 예술 세계는 그의 삶과 떼려야 뗄 수 없는 관계에 있다. 그는 예술을 통해 자신의 감정과 생각을 표현했으며, 이를 통해 사람들과 소통하고자 했다.

피카소의 일생은 독창성과 열정으로 다양한 시기와 스타일을 거치며 예술의 경계를 끊임없이 확장하며 소통해 나갔다. 그의 작품을 통해 예술이 어떻게 사람들에게 깊은 감동을 주고, 사회적 변화를 촉진할 수 있는지를 이해할 수 있다. 그의 예술은 단순한 작품이 아니라, 그 자체로 하나의 혁명이다. 이러한 예술적 혁명을 통해 그는 전 세계의 예술가들에게 영감을 주었으며, 그의 유산은 여전히 강력한 영향력을 발휘하고 있다.

- 고흐의 일생과 그의 예술 세계

빈센트 반 고흐는 예술을 통해 자신의 영혼을 표현한 위대한 화가이다. 1853년 네덜란드의 작은 마을에서 태어난 고흐는 평생 정신적 고통과 싸우며, 그 고통을 예술로 승화시켰다. 그의 작품들은 그의 내면 불안과 고독, 그리고 희망과 생명력을 그대로 담고 있다.

고흐의 삶은 끊임없는 고난과 역경으로 점철되어 있다. 그는 여러 직업을 전전하다가 27살에 본격적으로 화가의 길을 걷기 시작했다. 그의 초기 작품들은 어두운 색채와 농민들의 일상을 그린 작품들이 주를 이룬다. 특히 '감자 먹는 사람들'은 그의 초기 대표작으로, 농민들의 고단한 삶을 생생하게 담아냈다.

그러나 고흐의 진정한 예술 세계는 프랑스 아를로 이주한 후부터 꽃을 피우기 시작한다. 이 시기에 그는 '해바라기', '별이 빛나는 밤' 등 오늘날에도 많은 사람들이 사랑하는 명작들을 탄생시켰다. '해바라기'는 그의 밝은 색채와 강렬한 붓질을 통해 생명력과 희망을 표현한 작품이다. 이 작품은 고흐의 가장 유명한 작품 중 하나로, 지금도 많은 사람들에게 감동을 준다.

고흐의 작품 '별이 빛나는 밤'은 그의 내면 고독과 불안을 담고 있다. 이 작품은 그의 정신적 고통을 상징하는 듯한 소용돌이치는 하늘과, 그 아래 고요한 마을의 대조를 통해 그의 복잡한 감정을 극명하게 표현한다. 고흐는 이 작품을 통해 자기 내면의 어둠과 싸우며, 동시에 아름다움을 찾아내려는 노력을 보여준다.

고흐의 작품들은 그 일생의 다양한 상황과 감정을 반영하고 있다. 그는 자신의 감정을 솔직하게 작품에 담아내며, 이를 통해 사람들과 소통하고자 했다. 고흐의 작품들은 그의 고통과 희망, 절망과 기쁨을 그대로 담고 있어 많은 사람에게 깊은 감동을 준다.

고흐의 예술 세계는 그의 깊은 감정과 생각을 그대로 담아낸 것이다. 그는 예술을 통해 자기 내면을 표현하고, 사람들과 소통하고자 했다. 그의 작품들은 오늘날에도 많은 사람들에게 영감을 주고 있으며, 그는 예술 세계에서 매우 특별하고 중요한 위치를 차지하고 있다.

고흐는 한때 이렇게 말했다. "내 그림을 통해 내 영혼을 보여주고 싶다." 그의 작품들은 그의 영혼을 그대로 담아내며, 이를 통해 사람들에게 감동을 준다. 고흐의 예술 세계는 그의 깊은 내면을 탐구하고, 이를 통해 사람들과 소통하고자 하는 그가 노력한 결과물이다.

고흐의 일생과 그의 예술 세계를 통해 우리는 예술이 어떻게 사람들과 소통하고, 감동을 줄 수 있는지를 배울 수 있다. 그의 작품들은 그의 내면 고통과 희망을 그대로 담고 있어 많은 사람에게 깊은 감동을 준다. 고흐의 예술 세계는 그의 깊은 감정과 생각을 그대로 담아낸 것으로, 이를 통해 우리는 예술의 힘과 가치를 느낄 수 있다.

고흐는 끊임없는 자기 탐구를 통해 예술적 성장을 이루었다. 그는 자신의 감정을 솔직하게 작품에 담아내며, 이를 통해 사람들과 깊이 소통하고자 했다. 그의 작품들은 미적 표현을 넘어서, 그의 내면 세계와 정서적 고통을 고스란히 담고 있어 깊은 감동을 준다. 특히, 색채와 빛의 조화로움 속에서 생명력과 희망을 표현하며, 이를 통해 많은 이들에게 영감을 주고 있다.

고흐의 예술 세계는 그의 독창성과 열정을 반영한다. 그는 자연과 인간의 삶을 깊이 관찰하고, 이를 통해 자신의 예술적 비전을 구체화했다. '별이 빛나는 밤'과 같은 작품은 그의 창의력과 예술적 열정을 잘 보여주며, 그의 독특한 화풍은 오늘날에도 많은 예술가들에게 영향을 미치고 있다. 예술을 통해 자신의 내면을 표현하고, 이를 통해 사람들과 소통하고자 했던 진정한 예술가였다.

피카소와 고흐를 통해 본 소통

"예술은 무언의 언어이다. 그것은 사람들의 마음 깊은 곳에서 소통한다." - 오귀스트 로댕

피카소와 고흐는 각자의 작품을 통해 사람들과 소통하며, 그들의 작품은 다양한 시대와 스타일을 반영하면서도 사회와의 소통을 통해 깊은 메시지를 전달한다. 피카소와 고흐의 작품을 통해 우리는 소통의 중요성과 그들이 자신의 감정과 생각을 예술로 표현한 방식을 배울 수 있다. 이 두 거장의 예술은 그들의 시대를 초월하여 오늘날까지도 많은 사람들에게 영향을 미치고 있다.

피카소와 고흐는 매우 다른 시대와 배경에서 활동했지만, 그들의 작품은 공통으로 사람들의 마음을 움직이고, 사회적 이슈에 대한 깊은 생각을 불러일으킨다. 피카소의 작품은 주로 사회적, 정치적 메시지를 담고 있으며, 강렬한 형태와 색채를 통해 전달된다. 그의 작품 '게르니카'는 전쟁의 참혹함을 고발하고 평화의 중요성을 강조한다. 이 작품은 스페인 내전 중 나치 독일이 게르니카 마을을 폭격한 사건에 대한 반응으로, 피카소는 이를 통해 전쟁의 잔인성을 비판하고 평화의 중요성을 강조한다. '게르니카'는 단순한 예술작품을 넘어, 전 세계에 평화의 메시지를 전파하는 상징적 작품이 되었다.

반면, 고흐의 작품은 개인의 내면을 들여다보게 한다. 그의 작품은 감정의 표현에 중점을 두고 있으며, 강렬한 색채와 붓질을 통해 그의 깊은 감정과 내면의 갈등을 표현한다. '별이 빛나는 밤'은 고흐의 고독과 희망을 동시에 담고 있으며, 관람자에게 깊은 감동을 준다. 고흐는 고독과 고통 속에서도 자연의 아름다움과 생명의 희망을 찾으려 했으며, 이는 그의 작품을 통해 관람자에게 전달된다. 고흐의 작품은 그의 고통과 고독을 넘어, 희망과 아름다움을 찾는 여정을 보여준다.

피카소와 고흐의 소통 방식은 매우 다르다. 피카소는 사회적 이슈에 대한 강한 메시지를 전달하기 위해 작품을 제작한다.

반면, 고흐는 자기 내면의 감정을 솔직하게 표현하며, 이를 통해 관람자와 깊은 감정적 교감을 나눈다. 이 두 거장은 각자의 독특한 스타일과 접근법을 통해 예술을 통한 소통의 중요성을 강조한다. 피카소의 작품은 사회적 메시지를 담고 있으며, 고흐의 작품은 개인의 감정을 담아낸다.

피카소와 고흐의 작품을 통해 우리는 예술이 단순한 미적 표현을 넘어, 사회와의 소통을 위한 강력한 도구임을 알게 된다. 그들의 작품은 시대를 초월하여 오늘날에도 여전히 많은 사람에게 깊은 감동과 영감을 준다. 피카소와 고흐의 예술 세계를 탐구하는 것은, 소통의 본질과 예술의 힘을 이해하는 흥미로운 여정이 될 것이다. 예술을 통해 우리는 더 나은 사회를 만드는 방법을 배우게 된다.

피카소와 고흐의 소통법은 개인의 실제 생활에도 큰 영향을 미칠 수 있다. 피카소는 사회적 이슈에 대해 강력한 메시지를 전달하며, 오늘날 우리가 사회 문제에 대해 목소리를 내고 행동하는 방식에 영감을 준다. 고흐는 자신의 감정을 솔직하게 표현하는 것의 중요성을 상기시키며, 우리도 자신의 감정을 숨기지 않고 표현하는 법을 배우게 한다. 피카소의 강력한 메시지는 우리에게 사회적 책임을 일깨우고, 고흐의 솔직한 표현은 우리의 내면을 탐구하게 만든다.

오늘을 사는 우리의 소통법은 어떻게 해야 할까? 피카소와 고흐가 보여준 것처럼, 우리는 사회적 이슈에 대해 목소리를 내고, 자신의 감정을 솔직하게 표현하는 것이 중요하다. 또한, 서로의 감정과 생각을 존중하며, 진솔한 소통을 통해 더 나은 사회를 만들어 나가야 한다. 예술을 통해 소통하는 방법을 배우면서, 우리는 더 깊이 있는 인간관계를 형성하고, 풍요로운 삶을 살아갈 수 있을 것이다. 피카소와 고흐의 작품은 우리에게 소통의 중요성을 가르치며, 예술이 어떻게 사람들의 마음을 움직이고 사회를 변화시킬 수 있는지를 보여준다.

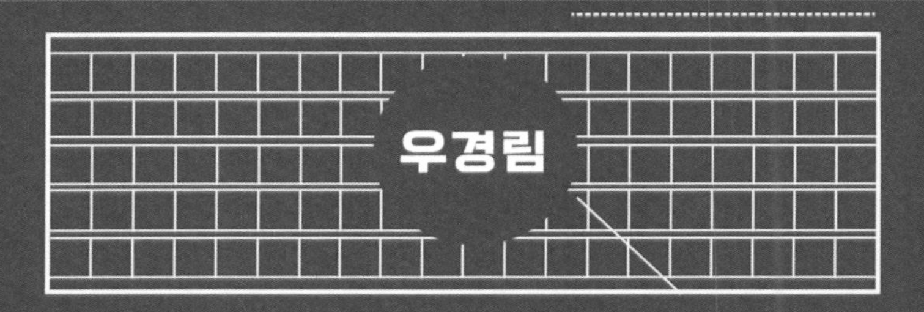

우 경 림 rim5019@daum.net

은빛나래아카데미 대표
한국원예진흥원 대표
행복할권리 대표
한국출판지도사협회 임원
한국명강사평생교육원북부지부 지부장
한국여가예술문화원 지도교수
한국원예예술문화원 교육이사
강사양성, 강사파견
복지관, 자활센터, 노인대학,
일자리센터, 학교출강
사회복지사
글쓰기,책쓰기지도

010

대한민국 최초 원예인문학 강사

식물은 우리가 마음속에 심는 것의 열매를 맺는다. -루터버뱅크-

원예 강사의 꿈을 향한 아름다운 도전

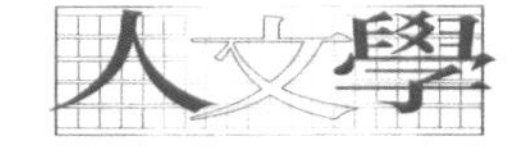

나는 행복한 원예 강사다! 내 원예의 시작은 이러하다. 20대 무역회사 근무 중 업무의 피곤함과 다양한 스트레스를 이기기 위하여 사내 꽃꽂이 동아리로 시작되었다. 꽃꽂이 동아리 시간은 나에게는 너무 큰 힐링의 시간이었고 업무가 다양한 직원들과 소통도 도움이 되었다. 이제 와 생각해 보니 꽃향기, 풀 냄새 이 모든 것들이 새로운 에너지를 받아서 회사 생활을 6년간 지속 할 수 있었다. 그리고 결혼과 동시에 경기도 양수리에서 시골 생활로 6년간의 세월은 말 그대로 반 자연인으로 살아왔다.

세월이 흘러 오늘날 나는 유치원생부터 초, 중, 고, 일반인, 나이든 어르신까지 원예인문학 강사로 활동하고 있다. 20대 초반에 업무 스트레스로 인해 배웠던 꽃꽂이 동아리 활동에서 사범 자격증을 취득한 것이 계기가 되었다. "강의는 무조건 재미있어야 한다! 강사는 강의를 통해 정보나 지식을 전달하는 것이 아니라, 원예를 통하여 새로운 의미를 찾아 움직일 수 있는 마음의 울림을 주는 사람이다." 많은 원예 강사도 있지만 나는 나만의 힐링 원예 인문학 강의를 개척하고 도전해야 한다고 생각한다.

원예와 조경, 환경은 서로가 잘 어우러져서 하나의 예술 문화로 발전하고 있고 더욱 발전해야 한다고 생각한다. 원예는 다양한 이유로 우리 삶의 중요한 역할을 담당하고 있다. 정원 원예 활동은 스트레스 감소, 불안 완화, 그리고 우울증 완화에 도움을 줄 뿐 아니라 자연과의 상호작용은 마음을 안정시키고 정신적 웰빙을 증진시킨다. 또한 원예는 신체활동을 포함하므로 운동 부족을 해소하는데 도움이 되고 있으며 정원 가꾸기 또는 나무 심기, 잡초 뽑기 등은 유산소 운동과 근력운동 효과를 동시에 할 수 있다.

그리고 녹지 공간을 확보하여 도시 열섬 현상을 완화하고 공기 질을 개선하므로 생물의 다양성을 증가 시킨다. 또한 원예는 토양침식을 방지하고 물 순환을 개선하는 데 기여하고 음식 자급자족을 위한 방법으로도 탁월하다. 채소, 과일, 허브 등을 직접 재배하면 신선하고 건강한 음식을 자급자족할 수 있다. 이는 식품비용을 절감하고 식품 안전성을 높인다.

교육적 가치의 원예 인문학은 생물학, 생태학, 환경 과학은 다양한 학문 분야에 대한 이해를 도울 수 있으며 특히 어린이들에게는 자연의 순환과 식물의 생장 과정을 배우는 좋은 기회가 된다. 스스로 작물을 키워 밥상에 올라오는 과정을 배울 수 있다. 특히 공동정원이나 커뮤니티 가든은 이웃과 교류와 협력을 촉진하며 이는 사회적 유대감을 강화하고 공동체 의식을 높이는 데 도움을 줄 수 있다. 단순한 꽃꽂이나 원예를 넘어서서 세계 여러 나라의 정원과 조경의 역사에 대한 인문 소양 강의다. 정원은 인류 역사상 가장 오래전부터 사람들의 꿈과 소망이 들어 있으며 세계 역사 속 순간마다 의미와 가치를 지니고 있다. 원예로 풀어나가는 인문학 이야기는 무궁무진 할뿐더러 매우 흥미롭다.

마음을 치유하는 원예인문학 여행

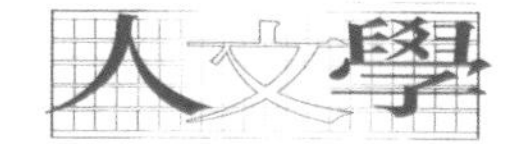

지루하고 따분한 인문학 강의는 이제 그만! 원예에 대한 기본 지식과 원예의 인문학적 이야기를 풀어간다. 원예인문학에 숨겨진 재미있고 고급스러운 에피소드를 배우고 원예를 통하여 유럽 여러 나라의 이야기까지! 선택 사항으로 다양한 스타일의 원예와 꽃꽂이, 여러 나라의 정원을 배우고 여행할 수 있는 참여형 수업이다. 힐링, 스트레스 해소, 아이스브레이킹, 조직 단합의 목적으로 가장 완벽한 강의다. 강의가 끝날 즈음이면 어느새 당신도 원예 전문가! 누군가를 위로하고 나 자신을 찾아가는 정말 귀하고 알찬 수업으로 진행이 되고 원예에 빠져들 기회가 된다.

원예인문학 강의 커리큘럼의 예시는 아래와 같다.

원예를 통한 스토리텔링의 힘
영화로 떠나는 원예여행
국가별 대표 원예 유형
나라별 정원 소개
세계 원예 및 꽃 박람회
세계의 조경가들
세계의 정원들
나라별 조경 특징
조경의 역사와 미래의 정원
프랑스 파리의 조경 소개
유럽 정원 소개
동남아 정원 소개
공간을 살리는 동양 꽃꽂이
우리나라 지역별 대표 원예
우리나라 3대 정원 이야기
나만의 정원 만들기
우리나라 조경의 특징
연령 별 추천하는 원예 배우기
대상에 따른 원예치유
다육 이를 통한 힐링 워크숍
인생 2막을 위한 원예 지도사 과정

경력 단절 여성을 위한 원예로
직장인 원예 동아리
시니어를 위한 원예인지활동
진로·직업을 위한 원예프로그램
자활센터 원예프로그램
발달장애인을 위한 원예프로그램
직접 찾아가는 원예 활동
원예 활동을 통한 허브테라피
청소년의 스트레스 해결을 위한 힐링 꽃꽂이
품격 있는 시니어 원예 수업

마음을 여는 것에는 여러 가지가 있으나 원예를 통해 자연과 소통하고 나 자신을 돌아보며 상처받은 나를 치유하는 경험을 갖게 된다. 원예는 감정의 표현이며 나의 내면세계를 드러내는 수단이다. 때로는 조직원의 열정과 우정을 나누는 활동이 되기도 한다.

이 강의는 우리 삶에 활력과 에너지를 불어넣는 활기찬 활동이 된다. 자아를 발견하고 자신감을 키우는 과정이 된다. 자신과 다른 사람들과 함께 존재하는 방법을, 원예를 통하여 새롭게 발견하는 소중한 기회를 얻게 된다.

고된 생활에 지친 당신! 무기력한 당신! 하루에도 몇 번이고 공격하는 내 심장! 내 마음이 말하는 것을 원예로 표현한다. 조직원들과 함께하는 원예 활동, 원예는 소통이 되고 원예는 공감이 되고 어느새 가면을 쓴 나는 없어지고 솔직한 자연인으로 변화되어 간다. 그리고 내 안의 숨은 거인을 만날 수 있다. 그 거인이 깨어나면 나는 자유로워진다. 원예는 그렇다. 나를 자유롭게 하고 기쁨을 주며 생활에 활력을 준다. 그리고 원예는 우리를 행복하게 한다.

어디에서도 들을 수 없는 원예인문학 여행! 그것이 내 강의의 차별화이다. 나는 가만히 기다리지 않는다.

매일 피는 꽃 - 양광모

일요일에는 장미가 피어납니다.
화요일에는 백합이 피어납니다.
수요일에는 진달래가 피어납니다.
목요일에는 목련이 피어납니다.
금요일에는 튤립이 피어납니다.
토요일에는 프리지어가 피어납니다.
일요일에는 국화가 피어납니다.
당신을 만남 후에 내 가슴에는 매일 사랑의 꽃이 피어납니다.

나는 행복한 원예인문학 강사로 살기로 했다

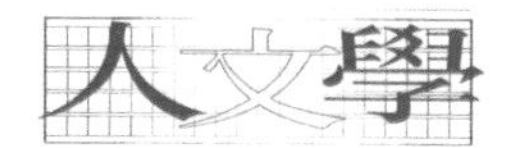

강의를 통해서 고정관념을 깨고 기존의 틀을 탈피하는 사고의 전환이 원예 인문 소양 강의의 목적이며 본질이다. 고전적인 인문학의 틀을 벗어난 색다른 인문학 시도로 누구나 좋아하는 소재를 인문학적 강의로 풀어간다. 원예 체험형 강의는 가의 참여도와 집중도를 월등히 높여주며, 조별 활동을 통하여 구성원 간의 자연스러운 유대감이 형성되고 벽이 허물어진다.

강의는 강의 만족도 설문이 말해준다. 현장의 뜨거운 반응, 강의 만족도 설문, 그리고 VIP 참여자의 반응에서 강의 성과가 결정된다. 강의는 책 몇 권의 지식에서 나올 수 없다. 강사가 살아온 삶의 가치가 녹아야 청중을 움직이는 생생한 감동이 전달된다.

변화를 이뤄낼 시간 60분! 우경림 강사와 같이하는 참여자들이 함께하게 될 것은 단순한 콘텐츠가 아니다. 지식의 미래에 공감하고 오랜 세월 삶에서 배운 소중한 경험이 녹아 있기 때문이다. 세상에 필요한 삶의 자취가 세상을 바꾸는 이야기가 되는 곳에 우경림 원예인문학 강사가 함께한다.

이제는 한 걸음 더 나아가 세상을 바꾸는 작지만 위대한 움직임에 동참하는 후진을 양성한다. 한국원예진흥원은 원예 강사 양성과 원예 콘텐츠 개발, 베란다 원예 텃밭, 주말농장 프로그램, 시니어를 위한 원예 활동 등을 통하여 이들의 삶의 가치를 부여하는 것이 주 업무다.

지금의 작은 움직임이 여러분의 큰 꿈을 이루어 줄 것이다. 한국원예진흥원은 '작은 변화로 꿈을 이루는 곳'으로 함께 신나는 성장을 추구한다. 앞으로 더 많은 격려와 좋은 인연으로 만나 함께 성장하며 즐겁게 살아가고 싶다. 원예 강사 우경림! 원예를 사랑한다! 나를 사랑하는 강연가! 나와 소통은 원예가 되고 원예는 사는 이야기이고 삶이다. 그리고 삶은 기적이다. 기적 같은 오늘 나는 행복하다.

새로운 가치 찾기
해등 동네
한지사랑

실버원예

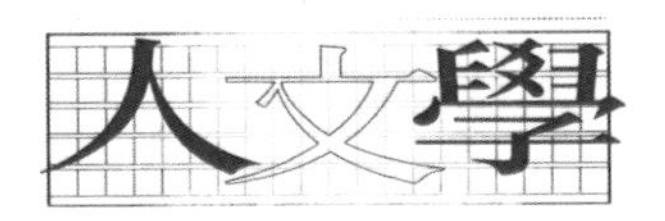
人文學

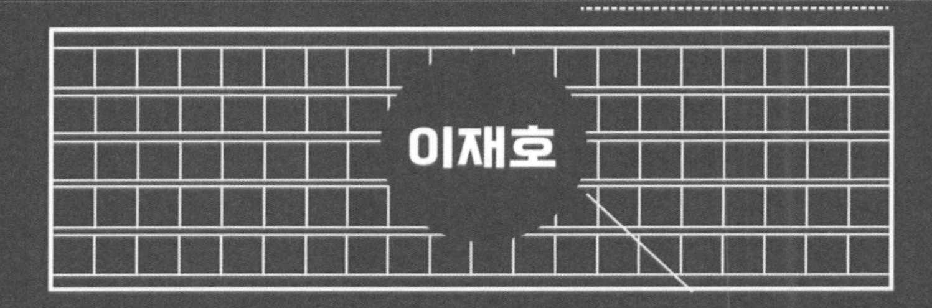

jml702m@gmail.com

한국출판지도사협회 임원
한국출판지도사협회 남원지부장
하브루타미래포럼 남원대표
사)국민독서문화진흥회 남원지부장
출판지도사
꿈진로컨설팅지도사
하브루타전문강사
서평·문화감상평지도사
입시컨설턴트
아로마전문관리사
감정오일상담사
독서지도사
남원시 평생학습관
'평생교육 활성화 강사'
유공자 표창(2022)
저서 「감사하면」 그림책

0Ⅲ

인생 그림책을 만들며 나를 찾아 떠나는 행복한 인문학 여행

교육이 한 인간을 양성하기 시작할 때의 방향이 훗날 그의 삶을 결정할 것이다
-프리드리히 빌헬름 니체-

나는 'AI 활용 나만의 그림책 만들기' 인문학 강사다

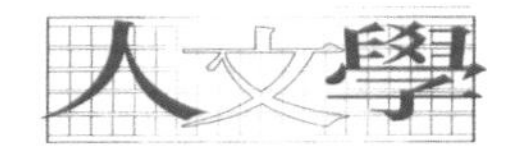

하브루타 전문 강사, 아로마테라피스트, 감정오일 상담사, 버츄 프로젝트(인성) 강사, 입시진로컨설팅 강사, 서평·문화감상평 전문 강사, SQ 강사, 901플래너 강사 등 이 모든 강의는 내가 지금까지 해왔던 강의이다. 나는 다양한 강의를 통해 사람들과 소통하며 행복을 전하고 있는 '행복교육디자이너'이다.

그 외에 한국출판지도사협회 임원, 한국출판지도사협회 남원지부장, 하브루타미래포럼 남원대표, 사)국민독서문화진흥회 남원지부장으로도 활동하고 있다. 남원시 평생학습관에서 '평생교육 활성화 강사' 유공자 표창(2022)과 함께 「감사하면」 저서를 집필한 그림책 작가이기도 하다.

강의하다 보면 느끼는 것은 바로 한계에 부딪힐 때가 있다는 것이다. 나도 마찬가지였다. 자신에 대해서도 강의에 대해서도 변화가 필요했다. 이미 다양한 강의를 하고 있고, 재미있고 능력 있는 강사가 되기 위해 큰 비용을 투자했던 나에게 변화는 쉽지 않은 일이었다.

하지만 기회는 예기치 않게 찾아왔다. 평생학습관에서 'AI 활용 미래 자녀교육'을 주제로 강의를 진행했고 결과물로 AI를 활용하여 그림책을 만들어 제출하기로 했다. 그림책을 결과물로 만들어야 한다고 하니 수강생들은 처음에는 어려워했다. 그러나 AI를 활용하여 그림책을 만드니 어느덧 그 매력에 빠져들었고 자신만의 이야기를 담은 그림책을 완성했다.

그림책을 만들면서 그림책에 대한 수강생들의 반응은 그리 크지 않았다. 하지만 자신의 이야기를 담은 멋진 그림책을 직접 받아보자, 반응은 폭발적이었다. 그림책을 완성한 수강생마다 후기가 정말 좋았고, 처음 만드는 과정에서 힘들었지만, 완성 후에는 큰 보람을 느꼈다고 말했다. 또한 생애 처음으로 자신만의 그림책을 만들게 되어 인생에서 기억에 남는 의미 있는 경험이라고 했다.

수강생들은 그림책에 자신의 인생이 담긴 이야기를 담았다. 자신에 관한 이야기, 가족에 관한 이야기, 자녀에 관한 이야기를 그림과 글로 쓰며 자신의 인생을 돌아보고 또한 가족과 자녀에 대해서도 다시금 생각해 보는 행복한 시간을 가지게 되었다.

그 이후 소문 퍼지며 'AI 활용 나만의 그림책 만들기'에 대한 강의 의뢰가 자연스럽게 들어오게 되었다. 이후 진행된 강의에서도 수강생들이 자신의 인생 이야기를 담은 그림책을 만들며 놀라운 반응을 보였고, 그 과정을 통해 삶의 의미를 찾고 행복해했다.

'AI 활용 나만의 그림책 만들기' 강의는 나의 메인 강의 콘텐츠가 되었다. 그림책 만들기는 나만의 경험과 생각을 이야기로 담아내며 자신의 정체성 탐구가 가능하고, 자신의 인생을 돌아볼 수 있는 시간을 가질 수 있다. 또한 만든 그림책 이야기로 사람들과 다양한 인생 주제로 소통을 할 수 있다. 'AI 활용 나만의 그림책 만들기' 강의는 자신에 대해 인생에 대한 깊이 있게 탐구할 수 있는 인문학 강의이다.

인생 그림책을 만들며 나를 찾아 떠나는 여행

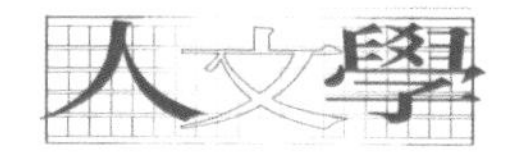

그림책을 만드는 것을 쉽지 않다. 주제도 잡아야 하고 글도 써야 하고 그림도 그려야 하기 때문이다. 그림책이 분량은 적지만 여러 가지 요소가 잘 어우러지게 만들기 위해서는 많은 시간과 노력이 필요하다. 하지만 AI의 도움을 받으면 시간과 노력을 줄일 수 있고 그림책을 좀 더 쉽게 만들 수 있다.

그림책 작가가 된다는 상상해 보라. 그것도 나만의 이야기를 담은 그림책을 내 손에 들고 있다고 생각해 보라. 상상만 해도 행복이 밀려오게 된다. 또한 나의 인생이 담긴 그림책을 가족과 다른 사람이 읽고 삶의 의미를 발견하고 즐거워한다고 생각해 보라. 얼마나 가치 있는 일인가.

나는 3년 이상 거의 매일 감사 3가지를 작성하고 있다. 감사를 통해 생각과 삶의 태도가 긍정적으로 변하고 부정적인 감정도 빠르게 회복하게 되었다. 이렇게 나의 인생에 많은 도움을 준 '감사'를 주제로 '감사하면' 그림책을 POD 종이책과 전자책으로 출판하게 되었다. 나의 인생에 의미가 담긴 '감사하면' 그림책을 만들면서 나 자신을 돌아보는 계기가 되었고 나를 찾고 더욱 행복하고 감사하게 되었다.

'AI 활용 나만의 그림책 만들기' 인문학 강의는 자신의 인생을 돌아보며 나만의 이야기를 그림책으로 만들고 나를 찾아 떠날 수 있는 행복하고 즐거운 여행이다.

'나', '가족', '자녀' 등 자신의 이야기로 그림책을 한 장 한 장 완성해 나가는 과정은 희열과 함께 만족을 준다. 또한 자신감과 자존감 그리고 행복감 향상에 많은 도움을 준다.

'AI 활용 나만의 그림책 만들기' 인문학 강의 커리큘럼의 예시는 아래와 같다.

인생에 대해 AskUp AI와 대화하기
'나는 누구인가?' 다섯 글자로 표현하기
나의 인생 사물로 표현하기
나와 비슷한 인물 찾아 설명하기

나의 인생 베스트 5
'뤼튼' AI 사용법
'뤼튼' AI 활용 그림책 주제 잡기
'뤼튼' AI 활용 그림책 글쓰기
'Bing Image Creator' AI 사용법
'Bing Image Creator' AI 활용 그림 그리기
'페인트' AI 활용 사진으로 그림 그리기
'이미지' AI 활용 배경제거, 업스케일링, 크기조절 하기
'그림책 프로그램'으로 그림책 구도 잡기
'그림책 프로그램'으로 그림책 제작하기
그림책 주문하기
'나만의 인생 그림책' 출판 기념회

가장 이상적인 강의는 참여자들과 함께 만들어 가는 강의이다. 강사 혼자서 이끌어가는 강의가 아닌 참여자들의 고민과 문제를 함께 소통하며 삶의 방향성을 찾고 함께 성장해 나가는 과정이다.

나만의 인생 그림책 만들기 인문학 강의는 참여자들과 함께 인생의 희로애락을 나누며 소통하고 힐링하는 강의이다. 이 강의를 통해 서로를 이해하고 하나가 되며 함께 성장해 나가는 경험을 할 수 있다.

나의 강의는 행복이다

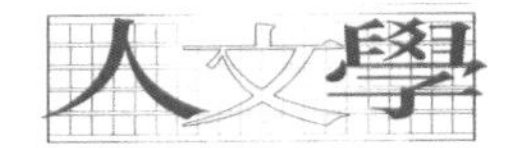

미국의 성공학 전도사 나폴레온 힐(Napoleon Hill)은 "'educate'란 단어는 라틴어 'educare'에서 나온 말로 '끌어내다, 발전시키다, 계발하다'라는 뜻이 있습니다. 결코 지식의 소유나 습득을 가리키는 말이 아니죠."라고 말했다. 나는 이 말에 100% 공감한다. 교육은 집어넣는 것이니라 그 사람 안에 있는 것을 끌어내 주는 것이다.

나는 강의를 통해 사람들에게 행복을 끌어내 주고 싶다. 각자 나름대로 가지고 있는 삶의 행복을 찾아주고 싶다. 그 이유는 바로 나도 강의를 통해 나의 안에 있는 삶의 행복을 찾았기 때문이다.

강사가 되기 전의 나의 삶은 순탄치 않았다. 쌍둥이 어린 자녀를 양육하며 방법을 몰라 처음이라 많이 실수했고 많이 아파했다. 삶의 행복은 점점 사라져 갔다. 해결책을 찾기 위해 나는 전국을 다니며 닥치는 대로 강의를 듣고 배우기 시작했다. 변화를 위해 엄청나게 노력했다. 그 결과 '자녀 양육방법'과 '자녀와 소통하는 법'을 배우고 적용하며 다시금 삶의 행복은 자라기 시작했다. 이후 나는 나에게 행복을 찾아준 강의를 전하는 강사가 되기로 다짐하고 열정과 노력을 쏟아부어 강사가 되었다.

나는 강의 시간에 강의 내용과 상관없이 꼭 적용하는 것이 있다. 그것은 바로 '감사'하는 것과 '긍정의 언어'를 사용하는 것이다.

〈 감행이 노트 (예시) 〉

- '감사합니다' 3가지 쓰기
  - 오늘을 선물로 주셔서 감사합니다.
  - 차 한 잔의 여유를 가질 수 있어 감사합니다.
  - 가족과 산책하며 대화하니 감사합니다.
- '행복합니다' 1가지 쓰기
  - 함께하는 친구가 있어 행복합니다.
- '이해합니다' 1가지 쓰기
  - 생각이 다를 수도 있다는 것을 이해합니다.

〈 행복의 언어 (예시) 〉

■ 나는 행복합니다!

■ 나는 자신감이 넘칩니다!

■ 나는 날로 좋아지고 있습니다!

감사는 삶에 많은 유익을 준다. 스트레스 감소, 면역 기능 강화, 수면 개선, 행복감 증가 등 정신적, 신체적 건강에도 긍정적인 영향을 미친다. 또한 긍정의 언어도 정신 건강 개선, 대인 관계 개선, 행복감 증가 등 유익한 효과가 있다. 이 간단한 두 가지 방법 실천을 통해 나의 강의를 듣는 많은 참여자가 자신감을 얻게 되고 행복을 찾게 되었다.

앞으로도 탁월하고 진정성 있는 강사로 활동하며 사람들에게 삶의 의미와 행복을 찾아주고 싶다.

나의 강의를 한 문장으로 표현하면 "나의 강의는 행복이다."

"세상에서 가장 지혜로운 사람은 배우는 사람이고,
세상에서 가장 행복한 사람은 감사하는 사람이다."
- 탈무드 -

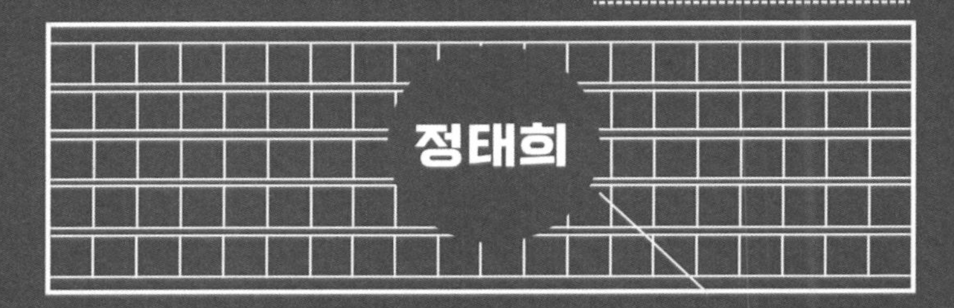

dldvk2@naver.com

한국지식문화원 대표강사
SFCA 플라워케이크지도사 1급
CPAC(ColorPersonality Analysis Counselor)
CPI(Color& Perfume Instructor)

012

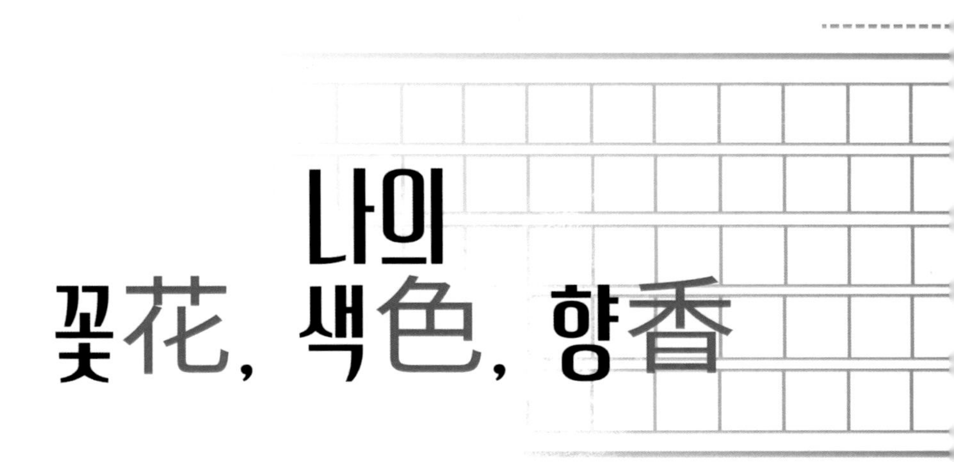

나의
꽃花, 색色, 향香

한 송이 꽃이 모든 꽃의 본질을 가지고 있다. -오쇼 라즈니쉬-

앙금플라워, 1만 시간과 맞바꾼 꽃

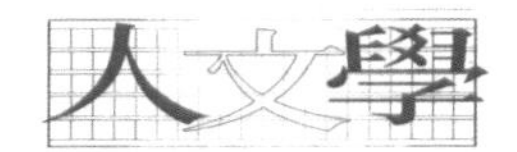

앙금플라워는 디저트의 장식뿐만 아니라, 특별한 기념일이나 행사에서 선물용으로도 많이 사용된다. 이러한 아름다움과 섬세함 덕분에 많은 사람들에게 사랑받고 있다. 색소로 색을 낸 앙금을 사용하여 자연의 꽃을 본떠 만들며, 각각의 꽃마다 형태와 색상이 다양해 독창적인 작품을 만들어낼 수 있다. 같은 꽃을 피워내도 꽃을 피워낸 사람마다 다른 분위기의 꽃이 탄생한다.

앙금플라워라 하면 대부분 두껍고 투박한 잎과 정형화된 모양이 장식된 떡케이크를 떠올릴 것이다. 부모님의 생신 혹은 어버이날 같은 기념일에 선물해 드렸던 떡집의 앙금플라워 떡케이크는 어느샌가 자취를 감추고 요즘에는 앙금플라워 전문 공방에 예약하거나 원데이클래스를 통해 직접 만든 앙금플라워 떡케이크를 선물한다.

현재의 앙금플라워는 생화인지 예술작품인지 구분이 가지 않을 정도로 성장하였다. 고급스러운 색감과 생화처럼 얇은 잎 그리고 정형화되어 있지 않은 화형, 이 기준으로 수강생들은 클래스를 선택하고 화형이 마음에 드는 선생님의 파이핑을 배우기 위해 국내 장거리 배움은 물론이고 해외에서 찾아오는 열정적인 수강생분들도 많다. 본인이 추구하는 화형을 가진 선생님의 그 손기술을 직접 배우고 싶으신 것이다.

앙금플라워 제작 과정은 먼저 앙금을 원하는 농도로 반죽하고 색소를 섞어 다양한 색상의 앙금을 준비하는 것으로 시작한다. 색소는 식용색소와 천연색소(천연가루) 중에서 선택할 수 있고 장단점에 따라 두 색소를 혼용할 수도 있다. 재료가 준비되면 도구를 이용해 파이핑을 하여 꽃을 피워낸다. 이 과정에서 섬세한 손길과 창의력이 요구되며, 완성된 앙금플라워는 시각적으로 매력적일 뿐만 아니라, 먹는 즐거움도 함께 제공한다.

생화 같은 앙금 꽃을 피워내기란 쉽지 않은 일이다. 질감과 색이 다른 춘설앙금과 백옥앙금을 섞어 자신의 손힘에 맞는 알맞은 농도의 비율을 찾아 반죽을 하고 그 농도는 오른손이 짤주머니를 짜는 속도와 꽃받침을 돌리는 왼손의 속도 그리고 왼손과 오른손의 각도까지도 맞아떨어져야만 생화 같은 꽃잎을 피워낼 수가 있다.

수강생분들께 "앙금플라워는 공예가 아닙니다. 수학이에요."라며 농담을 할 정도였다. 알맞은 반죽 농도를 찾았다고 해도 계절에 따라 그날의 온도 습도에 따라서도 달라져 꽃잎이 갈라지거나 찢어지고 또 무너지는 일이 비일비재 하다.

클래스를 진행하다 보면 수강생분들께서 많이 하시는 질문이 있다.

"선생님께서는 얼마나 연습하셨어요?"
"전 하루 8시간씩 했어요"
"세상에…!!"

그만큼 꽃이 좋았고 간절했다. 연습 초기에는 자다가도 손가락 마디가 아파서 새벽에 여러 번 깨기도 했고 거의 하루 종일 앉아 있으니 허리 통증이 심해져 침대에서 일어나 앉지도 못했다.

시간이 갈수록 새로운 근육이 붙어 적응을 했고, 그 후에는 아무 이상 없이 하루 종일도 앉아서 꽃을 피워낼 수 있다. 감사한 일이고 그래서 천직이라 생각한다. 원데이클래스 당일에 원하는 꽃이 안 나온다고 더 시도도 안 해보시고 포기하시는 분들을 보면 안타까운 마음이다. 그러기엔 너무 짧은 시간이다.

앙금플라워 연습 시간은 개인의 숙련도와 목표에 따라 다를 수 있지만 일반적으로 기본적인 기술을 익히고 여러 가지 꽃을 피우기까지 몇 주간 꾸준히 연습하는 것이 필요하다. 또한, 앙금의 질감과 색상 조합을 익히는 것도 중요한 부분이다.

원데이클래스에서 첫 꽃에 실망했다가 한 송이 한 송이 피워 낼수록 변해가는 꽃을 보면서 신기해하는 수강생을 보면 내가 처음 연습했을 때가 떠오르곤 한다. 누구든 지속적인 연습을 통해 점점 더 발전할 수 있다.

'1만 시간의 법칙'이 있다. 1만 시간의 법칙은 말콤 글래드웰(Malcolm Gladwell)이 그의 저서 〈아웃라이어〉에서 제시한 개념으로,

어떤 분야에서든지 전문가가 되기 위해서는 약 1만 시간의 집중적인 연습이 필요하다는 이론이다. 이 법칙은 특정 기술이나 능력을 개발하는 데 시간이 얼마나 중요한지를 강조한다.

앙금플라워 연습도 마찬가지다. 나의 연습 누적 시간을 어림 계산해 보니 1만 시간에 다다랐을 무렵 스스로도 가파른 성장 속도를 느낄 수 있었고 임계점을 넘어섰다는 확신이 들었다. 이렇듯 어렵고 힘든 연습 과정 때문에 예쁜 꽃에 이끌려 앙금플라워에 도전하는 분은 많지만, 끝까지 해내는 분은 극소수이다.

생화 같은 앙금플라워는 1만 시간과 맞바꾸고 만난 나만의 꽃이다.

꽃과 색으로 나를 찾아가는 여정

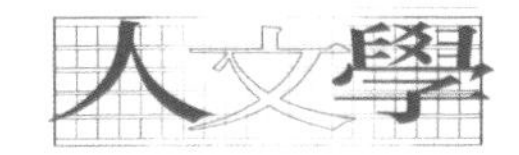

앙금플라워 클래스는 여성 수강생의 비율이 99%일 정도로 주로 여성이 수강한다. 지금껏 단 두 분의 남성 수강생에게 강의했을 만큼 여성의 전유물 혹은 특권이라 할 만하다. 이제 막 사회에 발을 내디딘 20대의 여성부터 연세가 지긋한 중년 여성까지 그리고 중고등학생까지 연령대 상관없이 여자는 꽃에 대한 로망이 있다.

엄마의 카톡 프로필 사진이 꽃 사진이 되기 시작하면 '우리 엄마가 나이가 들었구나…. 이제 갱년기?'라고 누가 그랬던가? 나이가 들어서가 아니라 여자는 나이에 상관없이 꽃을 보면 기분이 좋아지는 건 어쩔 수 없는 본능이다. 효도 차원으로 딸이 신청했던 클래스에서 엄마보다 딸이 더 만족하는 경우가 비일비재하다. 앙금플라워 모녀 클래스는 앙금으로 예쁜 꽃을 피우며 힐링도 하고 모녀의 잊지 못할 추억도 쌓을 수 있는 소중한 시간이다.

나는 26살 어린 나이에 결혼을 하고 27살에 첫째 출산, 28살에 둘째를 출산하여 연년생 남매의 엄마가 되었다. 도움받을 곳이 마땅치 않아 전업으로 연년생을 키우며 정신없이 시간이 흘렀고 이제 좀 키웠구나…. 싶으니 26살 어린 나는 온데간데없고 40대를 앞두고 있었다. 나를 찾고 싶어 배우기 시작한 것이 앙금플라워였다. 육아로 지쳐있던 몸과 마음을 치유하고 싶었는지 예쁜 앙금꽃에 마음이 끌렸다.

연습하는 과정이 녹록지 않았지만, 연습을 하면 할수록 양배추 같던 것이 꽃처럼 보이기 시작하고 임계점을 넘으니 매일 매일 꽃이 달라지는 게 내 눈에도 보일 정도로 꽃이 예뻐졌다. 선생님 꽃처럼 파이핑하고 싶다고 선생님 꽃이 최고라고 말해주는 수강생분들 덕분에 자존감도 올라갔다.

사람의 욕심은 끝이 없다고 꽃이 어느 정도 마음에 드니 이젠 색에도 관심이 가기 시작했는데 조색 연습을 하고 꽃에 색을 입혀주니 피워낸 꽃 한 송이 한 송이가 내 자식처럼 너무나 소중해서 몇십 장의 사진으로 남겨 놓고 그 꽃들을 잘 말려서 공방 한켠에 모아 놓으면 그렇게 행복할 수가 없다.

여러 수강생분과 클래스를 진행하며 느낀 것이 나의 파이핑 법으로 배우고 연습을 해도 수강생마다 다른 스타일의 꽃이 탄생하고 조색 역시 미묘한 차이로 다른 색이 나온다는 것이다.

나도 오랜 기간 인터넷 검색을 통해 내 눈에 제일 예뻐 보이는 꽃을 파이핑하는 선생님께 앙금플라워를 배웠지만 연습하다 보니 나만의 꽃 스타일이 탄생했고 나에게 파이핑을 배운 수강생분들도 연습하다 보면 자신만의 스타일이 확고해진다.

"선생님 꽃처럼 짜고 싶어요~"
라고 말씀하시는 수강생에게 난 이렇게 말씀드리곤 한다.

"저도 처음에 앙금플라워를 배웠을 땐 선생님과 똑같이 짜고 싶어서 노력하고 그렇게 되지 않으면 스트레스 많이 받았었어요. 그런데 이젠 내 손이 하라는 대로 그냥 짜고, 그게 제 눈에 예쁘면 만족합니다. 연습하다 보면 갑자기 만나는 날이 올 거예요. 수강생님만의 꽃을요!"

앙금플라워는 과정이 녹록지 않지만, 꽃과 색으로 나를 찾아가는 인생의 여정과 같다. 인생은 다양한 경험을 통해 자신을 알아가고, 그 과정에서 진정한 나를 찾아가는 여정을 시작하게 된다. 나를 찾아가는 여정은 단순히 자신을 발견하는 것뿐만 아니라, 성장과 변화의 과정이기도 하다. 우리는 실패와 성공을 통해 배우고, 그 경험은 나를 더 단단하게 만들어 준다.

앙금플라워 연습 과정은 산 너머 산이다. 처음엔 화형이 제대로 나오지 않아 난관에 부딪히고 어느 정도 모양이 나온다 싶으니, 조색이 애를 먹인다. 앙금 반죽에 색소를 섞으니 생각했던 것과는 전혀 다른 색이 나와 속이 상한다. 앙금 조색 공부를 하고 무수한 연습 끝에 화형과 색이 꼭 마음에 드는 꽃을 피워냈더니 이젠 어디에 꽃을 배치해야 예쁠지 감이 잡히지 않는다. 힘들게 피워낸 꽃들이 무용지물이 되지 않도록 꽃 종류와 색감이 조화롭게 어레인지하여 최상의 작품이 되도록 고심하는 시간이 필요하다. 과정 하나하나가 저절로 한숨이 나오는 작업이다.

하지만 어려움을 극복하고 나면 자신감이 생기고, 새로운 도전과 배움을 두려워하지 않게 된다. 성장의 과정은 힘들고 고통스러울 수 있지만, 그 속에서 진정한 나를 발견하게 되고, 삶의 목적을 찾는 데 한 걸음 더 나아가게 된다.

"내 마음대로 되지 않은 공예는 앙금플라워가 처음이에요. 만만하게 보고 도전했는데 두 손이 공손해지네요."

수강생분께서 하신 말씀이다. 우리의 인생처럼 생각지도 못한 난관을 만나게 되고 포기하지 않고 노력으로 그 산을 하나씩 넘었을 때의 성취감과 기쁨은 이루 말할 수 없다. 내 손에서 탄생하는 나만의 화형과 나만의 분위기가 나오는 색으로 정체성을 찾아가는 앙금플라워는 꽃과 색으로 나를 찾아가는 여정이며 성장과 변화의 과정이다.

사람도 꽃도 그 자체로 아름답습니다

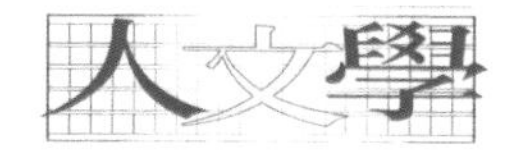

앙금플라워 정규클래스는 수업의 집중도를 높이기 위해 최대 2인 소수의 인원으로 진행한다. 1주 차에 처음 만난 수강생 두 분은 첫날엔 어색하지만 2주 차에는 차 한 대로 같이 오실 만큼 친해지기도 한다. 나이가 비슷하거나 서로의 공통사가 많다 보면 아무래도 더 친해지게 마련이다. 도란도란 두 분과 마주 앉아 수업을 진행하다 보면 한 분 한 분의 개성이 눈에 확 들어온다.

한 분은 쌀가루 물주기를 할 때 거침이 없다. 같은 양의 물을 주어도 쌀가루가 더 촉촉하다. 이럴 때 내가 떡에 맞춤인 손이라고 한다. 아마 사람마다 손의 온도가 약간씩 다르기 때문인 것 같은데 유독 촉촉한 물주기가 잘되는 손이 있다. 꽃도 우선 쓱쓱 피우신다.

다 완성되고 나서 꽃 모양을 보시다. 전체적으로 꽃이 예쁜지 보시는 것 같았다.

다른 한 분은 차분한 성격이신 이유도 있겠지만 꽃을 파이핑 할 때 한 과정씩 넘어갈 때마다 여기저기 살피시며 분석하시는 게 보였다.

"자, 분석 결과가 어떠신가요?"
라고 농담을 하기도 했다.

이렇게 수업하며 보면 두 분이 앙금플라워로 창업을 하시면 어떤 방향이 더 맞으실지 보인다. 수업하시는 것, 판매하시는 것 둘 다 잘하시는 분들도 계시지만 분명 성향 따라 한쪽으로 특화되어 있게 마련이다.

한 분께는 떡도 좋아하시고 손도 빠르시니 판매 쪽이 더 잘 맞으실 것 같고 다른 한 분께는 꽃을 분석 해가며 시간에 쫓기지 않고 연구할 수 있는 수업이 더 맞으실 것 같다고 조심스레 말씀드렸더니 맞다고 두 분 모두 그렇게 생각하고 계셨다고 하시며 웃으셨다. 방향을 정하실 때 작은 도움이 되길 바라는 마음에서 말씀드렸는데 잘 받아들여 주셔서 감사했다. 때로는 좋은 의미로 전하는 말도 사람에 따라 다르게 받아들이실 수 있으니….

나란히 앉아 만드신 입체 줄기 나뭇잎도 수강생님 취향에 따라 분위기가 다르다. 한 분은 쭉쭉 뻗은 걸 좋아하시고 한 분은 꼬불꼬불 굴곡 있는 걸 좋아하신다. 서로 너무 다르다고 또 한 번 웃기도 한다. 같은 파이핑 공식으로 꽃을 배워도 만드시는 분에 따라 다른 느낌의 꽃 스타일이 생긴다. 느낌이 달라도 스타일이 달라도 그 자체로 아름답고 예쁜 꽃.

"제 꽃과 똑같이 하려고 너무 애쓰지 마세요. 저는 꽃을 만드는 방법을 알려드리는 것일 뿐 본인만의 꽃은 세상에 단 하나뿐인 꽃이랍니다. 연습하실수록 점점 더 예쁘게 다듬어질 것이고요."

"사람도 꽃도 그 자체로 아름답습니다."

사람과 꽃은 서로 다른 존재이지만, 공통적으로 진정한 아름다움을 지니고 있다. 사람의 아름다움은 외적인 모습뿐만 아니라, 내면에서 우러나오는 가치와 행동에서 비롯된다. 우리의 표정, 미소, 그리고 타인을 향한 따뜻한 마음은 그 자체로 아름다움을 창조한다.

누군가가 친구를 위해 따뜻한 말 한마디를 건넨다면, 그 순간에는 그 사람의 진정한 아름다움이 드러난다. 또한, 다양한 문화와 배경을 가진 사람들이 각자 지닌 독특한 매력은 그 자체로 특별한 가치를 지니고 있다. 어떤 사람은 그들의 지혜로움으로, 또 다른 사람은 그들의 유머로 주위를 밝힐 수 있다. 진정한 아름다움은 자신을 사랑하고,

타인을 존중하며, 긍정적인 에너지를 나누는 데서 나온다. 이러한 내면의 아름다움은 시간이 지나도 변하지 않으며, 오히려 더욱 깊어질 수 있다.

각기 다른 색과 향기를 지닌 꽃들은 그 자체로 눈을 즐겁게 하고, 마음을 평화롭게 한다. 봄에 피어나는 벚꽃은 그 화려한 자태로 많은 사람들을 매료시키며, 여름의 해바라기는 태양을 향해 고개를 드는 모습이 인상적이다. 꽃은 생명의 순환을 상징하며, 성장과 변화를 보여준다.

특히, 꽃이 피는 순간은 새로운 시작과 희망을 상징하기도 한다. 이런 변화는 우리가 일상에서 느끼는 다양한 감정과 연결되어 있다. 꽃은 자연의 섭리를 통해 존재하며, 그 존재 자체로 세상을 더욱 아름답게 만든다. 이처럼 꽃은 단순한 식물 이상의 의미를 지니며, 우리에게 많은 메시지를 전달한다.

사람과 꽃은 서로에게 영향을 미치며, 서로의 아름다움을 더욱 돋보이게 한다. 사람들은 꽃을 통해 감정을 표현하고, 사랑과 우정을 나누며, 특별한 순간을 기념한다. 예를 들어, 결혼식이나 졸업식과 같은 특별한 행사에서 꽃다발은 그 순간의 의미를 더욱 깊게 만들어 준다.

특별한 기념일이나 행사에서 많은 사랑을 받는 앙금플라워도 같은 역할을 하고 있다.

꽃은 사람의 마음에 위안을 주고, 기쁨을 더해준다. 사람과 꽃은 서로의 존재를 통해 서로를 더욱 빛나게 하는 관계를 형성한다. 우리는 꽃을 통해 감정을 나누고, 꽃은 우리의 마음에 아름다움을 더한다. 내 손에서 피어난 세상에 단 한 송이의 꽃이라면 그 의미는 더욱 깊다고 할수 있다.

사람도 꽃도 그 자체로 아름다움을 지니고 있다.

각자의 아름다움을 인정하고 소중히 여기는 것이 진정한 아름다움의 시작이다. 우리가 서로를 바라보는 시선이 꽃처럼 아름답고 따뜻하길 바라며, 그 속에서 진정한 행복을 찾을 수 있기를 희망한다. 서로의 아름다움을 발견하고, 그 가치를 이해하는 것이 우리의 삶을 더욱 풍요롭게 만들어 줄 것이다.